VESPERBILD

Copertina
Scultore boemo (?), *Vesperbild*, 1430 circa,
Bologna, Basilica di San Domenico, Museo
(proprietà Ministero dell'Interno, Fondo Edifici di Culto)

Quarta di copertina
Antonio Salamanca (da Nicolas Béatrizet?),
La Pietà di Michelangelo, 1547,
Roma, Istituto Centrale per la Grafica
(deposito dall'Accademia dei Lincei)

Impaginazione
Chiara Bosio

Redazione
Collettivo Libraria

Segreteria di redazione
Serena Solla

Fotolito
Pluscolor, Milano

Stampa
Intergrafica, Verona

Ufficio stampa
My Com Factory, Luana Solla
luana.solla@mycomfactory.com

Officina Libraria srl
Via Romussi 4
20125 Milano, Italia
www.officinalibraria.net

© 2018 Officina Libraria, Milano
ISBN 978-88-3367-008-9
Printed in Italy

VESPERBILD

Alle origini delle *Pietà* di Michelangelo

a cura di Antonio Mazzotta e Claudio Salsi

con la collaborazione di Agostino Allegri e Giovanna Mori

OFFICINA
LIBRARIA

VESPERBILD

**alle origini
delle *Pietà*
di Michelangelo**

Milano, Castello Sforzesco
Sale dell'Antico Ospedale Spagnolo
13 ottobre 2018 – 13 gennaio 2019

Comune di
Milano

Sindaco
Giuseppe Sala

Assessore alla Cultura
Filippo Del Corno

Direttore Cultura
Marco Edoardo Minoja

Ufficio Stampa
Elena Conenna

CASTELLO SFORZESCO

*Direttore Area Soprintendenza Castello
Musei Archeologici e Musei Storici*
Claudio Salsi

*Conservatore Responsabile
Unità Castello e Museo Pietà Rondanini*
Giovanna Mori

*Responsabile Ufficio Amministrativo
Castello e Musei Archeologici*
Rachele Autieri

www.milanocastello.it

Si ringrazia
Fondazione
CARIPLO

Mostra e catalogo a cura di
Antonio Mazzotta e Claudio Salsi

con la collaborazione di
Agostino Allegri e Giovanna Mori

Segreteria organizzativa
Colomba Agricola
Marianna Cogni
Melania Locatelli

Registrar
Elena Calasso

Progetto di allestimento e direzione lavori
Andrea Perin

Project management e allestimenti
Inrete | Relazioni Istituzionali
e Comunicazione
Domenico Baldini
Nagaia Burbi

Progetto grafico
Francesco Dondina

Condition report
Vito Milo, Milano

Assicurazioni
Lloyd's Londra

Trasporti
Arteria

Cornici climatizzate e climabox
Arteria Safe_Tech
Goppion

Servizio di sicurezza e sorveglianza
Corpo di Guardia del Castello Sforzesco

Ufficio Stampa
Inrete | Relazioni Istituzionali
e Comunicazione
Paola Blasi
Francesca Negri

con la collaborazione di
Nicole Mattuzzi

Si ringrazia l'Unità Organizzazione e Sicurezza
Sedi - Ufficio Comando Castello e il personale in
servizio

Albo dei prestatori

Bologna, Museo Davia Bagellini
Bologna, Fondazione Opera Pia Davia Bargellini
Bologna, Basilica di San Domenico
Città del Vaticano, Musei Vaticani
Francoforte sul Meno,
Liebieghaus Skulpturensammlung
Londra, The British Museum
Londra, Victoria and Albert Museum
Lovere, Galleria dell'Accademia Tadini
Milano, Archivio Storico Civico
e Biblioteca Trivulziana
Milano, Museo Poldi Pezzoli
Parigi, Musée du Louvre,
Département des Sculptures
Parigi, Institut de France, Musée Jacquemart-
André
Perugia, Galleria Nazionale dell'Umbria
Roma, Gallerie Nazionali d'Arte Antica, Palazzo
Barberini
Roma, Istituto Centrale per la Grafica
Roma, Ministero dell'Interno,
Fondo Edifici di Culto
Siena, Banca Monte dei Paschi di Siena
Siena, Arcidiocesi di Siena -
Colle Val d'Elsa - Montalcino
Venezia, Museo Nazionale Gallerie
dell'Accademia
Venezia, Fondazione Musei Civici,
Museo Correr

Si ringrazia il collezionista che ha voluto
mantenere l'anonimato

Un ringraziamento speciale va rivolto
a Giovanni Agosti e Salvatore Settis,
che hanno seguito con dedizione e generosità
diverse fasi di questo progetto.

Si ringraziano inoltre:
Marco Albertario, Alessia Alberti, Mauro Alberti,
Cinzia Ammannato, Christopher Apostle, Elisa
Ascani, Alessandro Bagnoli, Alessandro Ballarin,
Lucia Baratti, don Paolo Barbisan, Roberto
Bartalini, Giuseppe Barzaghi, Roberta Battaglia,
Gabriella Belli, Andrea Bellieni, Marc Bormand,
Eva Breisig, Christophe Brouard, Donatella
Capresi, Carlo Maria Catturini, Paolo Cavagna,
Hugo Chapman, Maichol Clemente, Bill Conte,
Silvia Conte, Pierre Curie, Alfonso D'Agostino,
Bruno Daita, Laura Dal Prà, Giulio Dalvit,
Federica D'Amico, Mark Gregory D'Apuzzo,
Andrea Di Lorenzo, Elena Di Venosa, Maria
Teresa Donati, Bastian Eclercy, Isabella Fiorentini,
Marco Flamine, Jennifer Fletcher, Bianca
Franchetti, Pietro Frassa, Maria Antonella Fusco,
Arturo Galansino, Flaminia Gennari Santori,
Francesca Girelli, Daniele Gori, Barbara Jatta,
Sophie Jugie, Alexandra Käss, Ludmila Kvapilová,
Katharina Liebetrau, Carlo Lisi, Francesca Luchi,
David Lucidi, Mikołaj Machowski, Mauro
Magliani, Gino Marin, Marina Marin, Paola
Marini, Arlex Mastrototaro, Gabriele Mazzotta,
Martina Mazzotta, Massimo Medica, Sara Menato,
Gabriella Misuriello, Giovanni Moratti, Peta
Motture, Rachel Murphy, Lorenzo Napodano,
Jenna Nugent, Ghislaine Pardo, Daniela Parenti,
padre Davide Pedone, Domenico Pertocoli,
Stefano Petrocchi, Leonardo Piccinini, Marco
Pierini, Barbara Piovan, Carol Plazzotta, Luigi
Polo, Lorenzo Principi, Giovanni Renzi, don
Alberto Rocca, Stefan Roller, Giovanni Romano,
Francis Russell, Giovanni Saibene, Xavier
F. Salomon, Jochen Sander, Lorenza Segato, Ilaria
Serati, Nicoletta Serio, Nicoletta Sfredda, Iole
Siena, Emanuela Sivalli, Jennifer Sliwka, Jacopo
Stoppa, Luke Syson, Francesca Tasso, Harald
Theiss, Dominique Thiébaut, Ilaria Torelli, Chiara
Torresan, Cecilia Treves, Livia Turnbull, Mattia
Vinco, Jürgen Vogel, Sarah Vowles, Matthias
Wivel, Annalisa Zanni.

Sommario

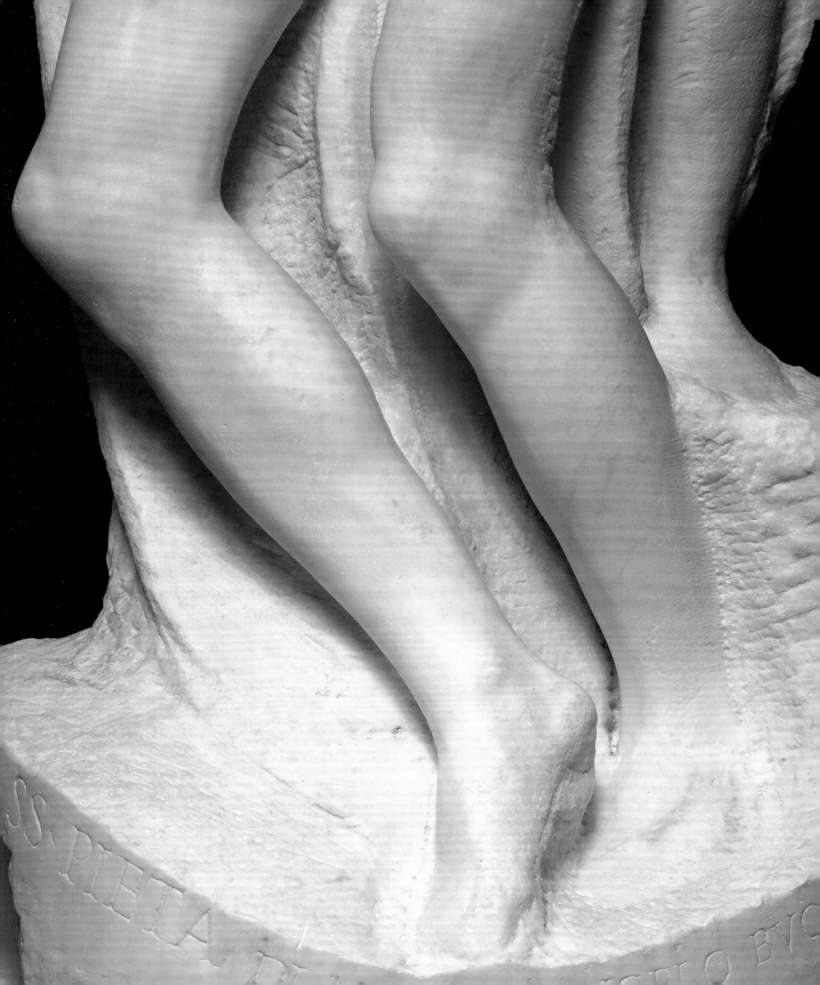

Ragioni di una mostra

Claudio Salsi

La Soprintendenza Castello sta dedicando notevoli energie alla promozione della *Pietà* Rondanini nella nuova sede museale presso l'antico Ospedale Spagnolo, allestita dall'architetto De Lucchi, attraverso pubblicazioni e mostre di studio che presentano approfondimenti storici e storico-artistici intorno all'estremo, sofferto, lascito di Michelangelo. Citiamo solo i contributi più specifici. Pensiamo alla guida breve, curata da chi scrive con testi di Michele De Lucchi, Giovanni Agosti e Jacopo Stoppa: *Michelangelo. La Pietà Rondanini nell'Ospedale Spagnolo del Castello Sforzesco*, Milano 2015. A pochi mesi dall'inaugurazione del museo, 2 maggio 2015, ecco una mostra che presentava gli esiti di una complessa ricerca, *D'après Michelangelo. La fortuna dei disegni per gli amici nelle arti del Cinquecento*, a cura di Alessia Alberti, Alessandro Rovetta e Claudio Salsi (Castello Sforzesco, 30 settembre 2015-10 gennaio 2016).[1] Mentre scriviamo si attende la stampa di un volume, ideato in collaborazione con il Museo dell'Opera del Duomo di Firenze, dedicato alla *Pietà* Bandini e alla *Pietà* Rondanini, a confronto quasi come due istanti di un unico processo creativo. All'Ospedale Spagnolo, restaurato e recuperato alla fruizione pubblica e alla complessa vicenda museografica che ha preceduto e accompagnato l'allestimento, stiamo dedicando un ampio rendiconto a stampa, che raccoglierà le testimonianze di tutto il gruppo di lavoro impegnato nella realizzazione del «Museo Pietà Rondanini – Michelangelo» fino all'inaugurazione della sala in concomitanza con l'apertura di Expo-Milano 2015.

Il progetto di mostra che ora vede la luce ha una storia non recente in quanto risale a ipotesi di lavoro addirittura precedenti l'inaugurazione dell'Ospedale Spagnolo e del relativo museo dedicato alla *Pietà* Rondanini.

Ricordo esattamente che da quando venne collocato il calco della *Pietà* – eravamo nel 2012 – in quell'ampia e disadorna aula ancora in attesa di restauro per valutarne a pieno la contestualizzazione spaziale, la pur celeberrima scultura che sempre avevamo avuto sotto gli occhi ci apparve in una dimensione del tutto nuova e inattesa, potendola finalmente ammirare nella giusta luce e a tutto tondo senza vincoli architettonici di sorta. Fu dunque nella prospettiva di una vera e propria riscoperta di quest'opera che nacque l'idea d'indagarne la genesi iconografica insieme a quella della ben più nota *Pietà* vaticana. Nelle raccolte del Castello Sforzesco è presente peraltro un'altra *Pietà* in marmo (fig. 1), che risulta tuttavia di difficile lettura e interpretazione, e non ci è parsa qualitativamente all'altezza delle opere esposte in mostra.[2] La profonda distanza tra le due sculture michelangiolesche – cronologica, formale e di destinazione – avrebbe potuto ricomporsi orientando gli studi in un unico *focus* incentrato sul soggetto nelle sue varianti e sulla comune fonte d'ispirazione nella cultura figurativa nordica. Conversazioni e approfondimenti si sono da allora intrecciati tra chi scrive, Antonio Mazzotta (che avrebbe poi assunto l'impegno più rilevante nell'ambito del progetto) e Giovanni Agosti, sulla base di uno spunto di Salvatore Settis (che ringraziamo anche per il contributo che ha voluto generosamente mettere a disposizione). Ricerca, preparazione del catalogo e della mostra hanno visto, in un momento successivo, anche l'apporto di Agostino Allegri e di Giovanna Mori. Ad un certo punto, l'ampiezza della ricerca e la ricchezza dei risultati

emersi ci hanno convinto a circoscrivere il campo alla sola *Pietà* vaticana, rimandando al futuro ogni approfondimento iconografico sulla *Pietà* Rondanini. Non rinunciamo tuttavia – come si vedrà poche righe più oltre – a collegare per accenni anche la scultura dei Musei del Castello alla sensibilità religiosa di Michelangelo nel momento in cui ripropone, pur in un'interpretazione irripetibile, per sé e alla fine della sua vita, un'immagine non immemore della struttura fisica e della natura devozionale degli antichi *Vesperbild*: anche la possibile mediazione di una rara fonte a stampa nordica, qui riprodotta, anticipa i termini di un nuovo possibile percorso che si immagina altrettanto fecondo.

Pietà Rondanini: *flash forward*

Una percezione della *Pietà* vaticana significativa per capire il pensiero del tempo, si ricava da una lettera anonima del 19 marzo 1549, successiva allo scoprimento del *Giudizio finale* della Cappella Sistina:

> si scoperse in Sto. Spirito una Pietà, la quale la mandò un fiorentino a detta chiesa, et si diceva che l'origine veniva dallo inventor delle porcherie, salvandogli l'arte ma non la devozione, Michelangelo Buonarruoto. Che tutti i moderni pittori et scultori per imitare simili caprici luterani altro oggi per le sante chiese non si dipinge o scarpella altro che figure da sotterrar la fede et la devozione; ma spero che un giorno Iddio manderà e sua santi a buttare per terra simile idolatre come queste.[3]

L'anonimo accusatore si riferisce alla copia in marmo della *Pietà* vaticana eseguita da Nanni di Baccio Bigio e donata alla chiesa di Santo Spirito a Firenze da Luigi del Riccio nello stesso 1549.[4] Nonostante il filtro classico di Michelangelo e le numerose interpretazioni italiane del *Vesperbild*, l'impiego di quest'iconografia a metà Cinquecento è ancora fortemente connotato in senso nordico che, nell'epoca della Controriforma, si traduce come «capriccio luterano».

L'unico artista in grado di rimuovere il filtro formale della *Pietà* vaticana nell'affrontare il tema sarà Michelangelo stesso, al termine della sua vita. L'11 giugno 1564 Daniele da Volterra scrive a Leonardo Buonarroti, nipote dello scultore scomparso da qualche mese, di «chome Michelagnolo lavorò tutto il sabbato della domenicha di carnovale [12 febbraio], e lavorò in piedi, subbiando sopra quel corpo della Pietà».[5] Pochi giorni dopo, il 18 febbraio 1564, Michelangelo muore senza terminare la scultura, oggi nota come *Pietà* Rondanini (figg. 2, 5).[6] Nell'inventario dei beni posseduti da Michelangelo in bottega a Roma, redatto *post mortem* da una delegazione pontificia appositamente incaricata, è contenuto il primo ricordo della scultura: «un'altra statua principiata per uno Christo con un'altra figura di sopra attaccate insieme, sbozzate et non finite».[7] Non si conoscono committente e destinazione dell'opera, ma è possibile che Michelangelo l'avesse scolpita per sé stesso. Anni prima infatti, sullo scorcio degli anni Quaranta del Cinquecento, lo scultore aveva abbozzato una *Pietà* per la propria tomba, oggi nota come *Pietà* Bandini (fig. 3) e conservata al Museo dell'Opera del Duomo di Firenze.[8] Sarebbe tuttavia più appropriato definirla *Deposizione*, data la presenza di Nicodemo e della cinghia per deporre Cristo ancora stretta intorno al suo petto. La statua non è ancora finita nel 1553, e l'artista, stando a Vasari, l'avrebbe in seguito fatta a pezzi perché insoddisfatto, per poi affrontare «un altro pezzo di marmo dove era stato già

Fig. 2. Michelangelo Buonarroti, *Pietà* Rondanini, 1553-1564 circa, Milano, Castello Sforzesco, Museo della Pietà Rondanini

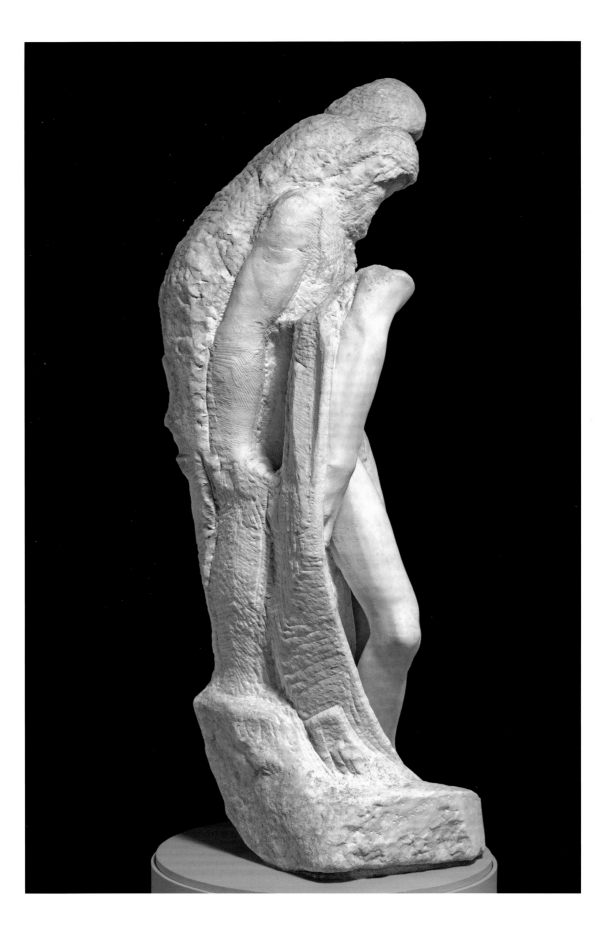

abbozzato un'altra Pietà, varia da quella, molto minore», ed è probabile che la genesi della *Pietà* Rondanini sia da collocare a valle di questo episodio e per un'analoga funzione sepolcrale.[9] Un parallelo, pochi anni dopo, è la grande tela con la *Pietà* di Tiziano, oggi alle Gallerie dell'Accademia di Venezia, con al centro un vero e proprio *Vesperbild*, concepita per la propria tomba e mai portata a termine per l'improvvisa morte di peste, nel 1576.[10] Solo una totale autonomia creativa può infatti spiegare le scelte senza

Fig. 4. Maestro ES, *Trinità*, 1455-1460 circa, Vienna, Albertina

precedenti nella composizione dell'ultima *Pietà* di Michelangelo. Si assiste a un recupero delle radici più profonde dell'iconografia del *Vesperbild* nell'isolamento delle due figure, nelle proporzioni innaturali dei corpi, con il Cristo rimpicciolito rispetto alla Madre, e nei ritmi spezzati ed affilati della scultura gotica. Una visione laterale trasforma il blocco di marmo in avorio, con l'andamento a falce delle figure inarcate (fig. 2). Rispetto ai *Vesperbilder* tedeschi e alla stessa *Pietà* vaticana, la Vergine non è assisa ma in piedi, non tiene in grembo il Figlio ma lo sostiene cingendolo sulle spalle e ne è a sua volta sostenuta. L'alta temperatura emotiva e il protagonismo della Vergine riconducono l'immagine al tema della *Compassio Mariae*, così vivo nella spiritualità trecentesca di ambito domenicano nella valle del Reno. L'impaginazione in verticale del gruppo pare riconvertire l'iconografia nordica della Trinità, ed è effettivamente molto forte il confronto più volte invocato con la tavola del Maestro di Flémalle oggi allo Städel Museum di Francoforte sul Meno.[11] Ma è probabile che questa composizione fosse nota a Michelangelo attraverso stampe come il bulino del Maestro ES (fig. 4) che – lo si riscontrerà in altri frangenti (cat. 17; fig. 33 a p. 93) – è, insieme a Schongauer, una costante fonte visiva per l'artista.[12]

Ma è come se ancora più a monte agisse in Michelangelo – e non sarebbe un *unicum* nella sua carriera – la necessità di misurarsi con la tradizione trecentesca fiorentina, ed è eloquente a riguardo il confronto tra la *Pietà* Rondanini e la *Pietà* di Giovanni da Milano oggi all'Accademia di Firenze, dove il pensiero del Cristo in piedi sorretto dalla Vergine che ne sfiora il volto con la guancia è lo stesso.[13] La capacità evocativa dell'immagine del vespro da parte di Michelangelo è simile a quella degli anonimi autori dei primi *Vesperbilder* lignei, forse suggestionati dalle meditazioni dei mistici domenicani. Lo sguardo rivolto ai secoli precedenti è dunque da intendere come una personale risposta, in termini di recupero della spiritualità medievale, alle istanze riformiste della Chiesa maturate nella cerchia di Vittoria Colonna, alla quale Michelangelo era legato da un intenso rapporto di amicizia dal 1538 circa.[14] La nobile romana, moglie di Francesco d'Avalos, marchese di Pescara morto a Milano nel 1525, era vicina al movimento riformista degli spirituali, ispirati dal teologo spagnolo Juan de Valdés. L'interesse della Colonna verso tematiche pietistiche si concretizza nelle sue opere letterarie, pubblicate in numerose edizioni, a partire dal 1538. È curioso che nell'edizione non autorizzata andata alle stampe a Venezia nel 1542 il componimento del *Triompho della Croce* sia accompagnato da una xilografia di reimpiego che raffigura un *Vesperbild* a più figure di sapore nordico (fig. 6). Databile ai primi anni Quaranta del Cinquecento è il bellissimo disegno con la *Pietà* che Michelangelo dona a Vittoria (fig. 7), oggi all'Isabella Stewart Gardner Museum di Boston.[15] Il disegno è un *presentation drawing*, vale a dire un'opera grafica indipendente e utilizzata come regalo. Sulla Croce, in alto, sta scritto «non vi si pensa quanto sangue costa», un verso tratto dal *Paradiso* di Dante (XXIX, 91) che si riferisce al valore del sacrificio di Cristo per la redenzione dell'umanità. Dopo la morte di Vittoria (1547), nel 1556 a Venezia esce il *Pianto della marchesa di Pescara sopra la passione di Christo*, una serie di rievocazioni mistiche dei momenti salienti del venerdì santo. Basta riportare le prime righe di quest'opera per capire come la capacità d'immedesimazione della poetessa nel dolore della Vergine offra un analogo moderno dei testi della mistica renana trecentesca, un po' come Michelangelo fa rivivere lo spirito dei primi *Vesperbilder* nella *Pietà* Rondanini:

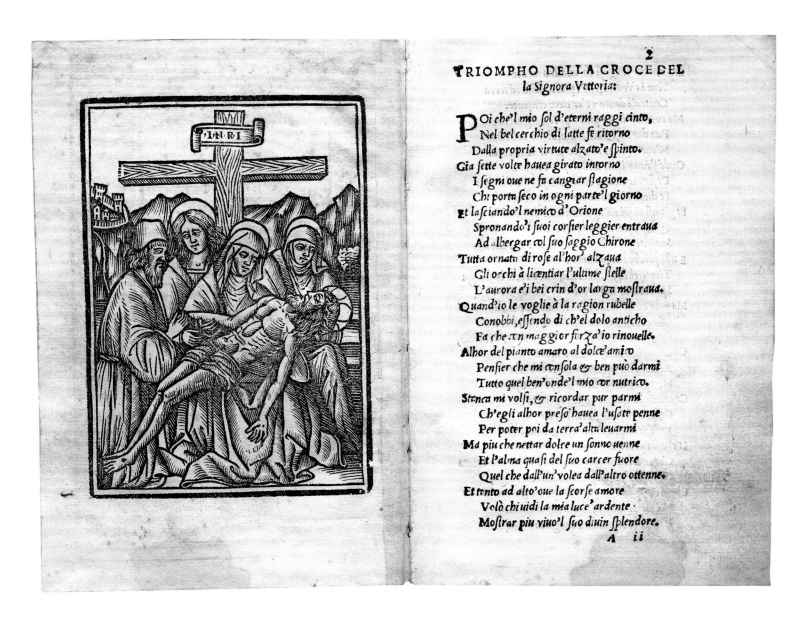

Fig. 6. Anonimo incisore, *Compianto su Cristo morto* (da Vittoria Colonna, *Rime*, Venezia, Giovanni Andrea Vavassore, 1542, Milano, Archivio Storico Civico e Biblioteca Trivulziana)

Il giorno del Venere, e l'hora tarda, mi convitano a scrivere del pietoso affetto di veder Christo morto in braccio alla madre, e se l'ubidienza non mi desse forze, mi riputerei crudelissima di poterlo scrivere, benché molto più ingrata, se nol considerassi. Veggo la dolce madre col petto colmo di ardentissima carità, con tante catene legata nell'amore del figliuolo, quante non si possono con la lingua nostra esplicare, né la mente è capace di comprendere, per riposo dell'acerba fatica e tormento passato dover dare sé stessa per letto al morto figliuolo, anzi al Signore, e padre, a sé medesima, et ogni suo bene, né solamente morto sostenerlo, ma far essa del suo proprio corpo, quasi morto, sepoltura in quell'hora a quanto di vivo restava in lei, che tutto era rinchiuso in Christo.[16]

Fig. 7. Michelangelo Buonarroti, *Pietà*, 1540 circa, Boston, Isabella Stewart Gardner Museum

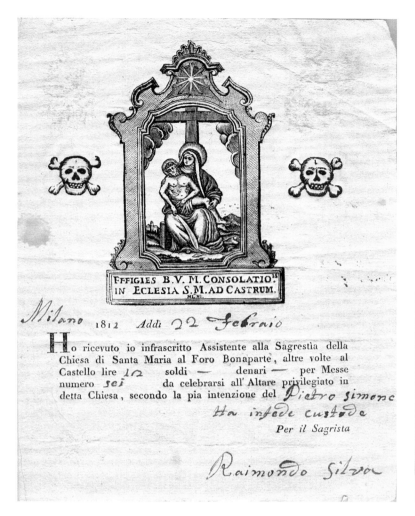

Un *Vesperbild* "di prossimità"

Ancorché non direttamente pertinente ai temi della mostra non può mancare in questa premessa un accenno alla *Pietà* ad affresco che orna l'altare maggiore di Santa Maria della Consolazione, una chiesa così prossima al Castello Sforzesco (largo Cairoli 1) da essere generalmente nota come Santa Maria – o Madonna – del Castello, se non altro perché non sia taciuta in questa occasione la possibilità di ammirare un'antica immagine di *Vesperbild* ancora in opera nel centro della nostra città e ben visibile a pochi passi dalla sede della mostra (fig. 8). Da notizie storiche si desume che la denominazione deve la sua origine ad un edificio di culto di origine viscontea, poi ricostruito in epoca sforzesca sulla spianata del Castello. Da parte di Galeazzo Maria Sforza, infatti, nel 1471 è messa a disposizione un'area per una chiesa dedicata alla Madonna della Consolazione, mentre il figlio, Gian Galeazzo, dal 1488 concede cospicue donazioni per l'avanzamento dei lavori. Serviliano Latuada riferisce che Ludovico il Moro l'avrebbe poi unita al convento degli agostiniani dell'Incoronata di Porta Comasina, a cui era stata già in precedenza affidata l'antica «cappella», mentre fonti documentarie attribuiscono la concessione ad un atto di Gian Galeazzo del 1492.[17] Demolita entro la metà del Cinquecento per fare spazio alle fortificazioni davanti al Castello, fu ricostruita più discosta dal maniero dai padri agostiniani, completamente modificata e con accluso convento, a partire dal 21 ottobre 1591, data

Fig. 8. Pittore lombardo, *Pietà*, 1510 circa, Milano, Santa Maria della Consolazione

Fig. 9. Anonimo incisore, *Effigies B.V.M. Consolationis in Ecclesia S.M. ad Castrum*, prima del 1812, Milano, Castello Sforzesco, Civica Raccolta delle Stampe Achille Bertarelli

Fig. 10. Incisore lombardo, *Vera imagine di Sancta Maria della Pietà della piazza del Castello di Milano*, prima del 1630, Milano, Castello Sforzesco, Civica Raccolta delle Stampe Achille Bertarelli

di posa della prima pietra.[18] Discordanti sono le notizie riguardanti la traslazione della *Pietà*: Latuada, riportando quanto scritto da Giovanni Antonio Castiglioni, la colloca nella domenica *in albis* del 1592, mentre, come è forse più probabile, Vincenti, sulla base di alcuni documenti, ricorda la solenne cerimonia avvenuta il 17 aprile 1594.[19] Riaperta al culto, dopo essere stata rinnovata sia all'interno che all'esterno, nel 1836 fu arricchita da una nuova facciata con portico di foggia neoclassica dell'architetto Giovanni Battista Chiappa; l'ambiente è ornato da testimonianze dei più significativi pittori del Seicento lombardo: Camillo Procaccini, Daniele Crespi, Enea Salmeggia detto il Talpino.[20] Se per quanto concerne la chiesa le notizie bibliografiche appaiono non sempre coerenti, riguardo all'inquadramento stilistico dell'antica immagine, trascurata finora dagli studi, si attendono indagini approfondite.[21] Qui ci basta segnalare che l'affresco della venerata *Pietà*, la cui ubicazione originaria è controversa, si presenta oggi in stato di frammento ridotto alla misura rettangolare in occasione del rinnovamento ottocentesco dell'edificio, per adattarlo alle dimensioni del nuovo altare con relativi ampliamenti e ritocchi. La parte centrale della composizione con le sacre figure fortunatamente non ha subito manomissioni ed è stata recuperata nella sua integrità. Essa rappresenta la Madonna seduta sul sepolcro che sostiene il Cristo deposto dalla Croce; a sinistra, dai rari dettagli superstiti, si riconosce la presenza di un donatore inginocchiato (l'impugnatura della spada ne rivela l'alto lignaggio), mentre lo sfondo è occupato da un ragguardevole paesaggio con veduta di città e un grande edificio rinascimentale a pianta centrale. Il gruppo della Vergine con il Figlio, nella sua monumentalità piramidale e nel dinamismo, sembra tenere in conto la presenza della *Sant'Anna* di Leonardo, e dunque difficilmente l'affresco si può discostare dal principio del secondo decennio del Cinquecento. Alla luce di questa possibile cronologia andranno considerati i pagamenti tra 1509 e 1510 da parte di Sebastiano Ferrero «per fare il sepulcro o vero l'anchona [...] Beate Virginis Consolationis».[22] Fonti letterarie tramandano che la sacra immagine fosse oggetto della devozione del giovane San Carlo Borromeo, così come sarebbe attestata la considerazione delle autorità spagnole di stanza al Castello nel Seicento.[23]

Una riproduzione a stampa della venerata immagine illustra una ricevuta per la celebrazione delle messe, datata 1812, in epoca anteriore perciò ai menzionati rifacimenti ottocenteschi (fig. 9).[24] L'ingenua incisione conservata nella Civica Raccolta delle Stampe Achille Bertarelli restituisce con buona dose di fedeltà elementi essenziali della composizione, per come la si può vedere anche oggi e forse anche per le parti scomparse: grande esattezza nelle pose delle figure, citazioni del sepolcro, del paesaggio e la presenza di una croce sul fondo, se non di invenzione ora perduta: né in questa né in altre stampe di riproduzione dello stesso soggetto presso la Bertarelli, tutte più antiche, compare la figura del donatore, forse perché allora coperta o più probabilmente perché ritenuta superflua nel rappresentare in un foglietto «una vera immagine» di culto destinata alla preghiera individuale. Curiosamente, la stampa più accurata, rara opera anonima pubblicata dall'editore Giovanni Ambrogio Perego entro il 1630, data della sua morte, offre una composizione del tutto infedele perché esemplata sull'ormai trionfante modello della *Pietà* vaticana, di ben maggiore «decoro» e autorevolezza devozionale rispetto al gusto attardato e ormai fuori tempo dell'originale (fig. 10).[25]

1. Un'altra iniziativa di studio era stata la mostra del 2011, dal titolo *L'ultimo Michelangelo. Disegni e rime intorno alla Pietà Rondanini*, allestita in prossimità dell'allestimento BBPR che allora ospitava ancora la scultura michelangiolesca: *L'ultimo Michelangelo 2011*.

2. Inv. 940bis: M. T. Fiorio, in *Museo 2013*, pp. 164-166, n. 560.

3. GAYE 1839-1840, II, p. 500.

4. Per un elenco delle copie antiche in marmo: DE TOLNAY 1969-1971, I, pp. 148-150.

5. *Il carteggio indiretto* 1988-1995, II, pp. 198-200, doc. 370.

6. Si veda DE TOLNAY 1969-1971, V, pp. 89-92, 154-157; e, da ultimi: *L'ultimo Michelangelo* 2011; AGOSTI, STOPPA 2015.

7. CORBO 1965, pp. 128-129, doc. 70.

8. Inv. 2005/289.

9. VASARI 1550 e 1568, VI, p. 93.

10. Inv. 400: G. Nepi Scirè, in *L'ultimo Tiziano* 2008, pp. 308-311, n. 3.20.

11. Inv. 939B. Per il confronto: DE TOLNAY 1969-1971, V, pp. 90, 156, fig. 365.

12. Vienna, Albertina, inv. DG1926/775: *The Illustrated Bartsch* 1980, p. 42, n. 37 (18).

13. Inv. 1890 n. 8467. Sul rapporto tra Michelangelo e la composizione di Giovanni da Milano: DE TOLNAY 1969-1971, V, pp. 86-87, fig. 370.

14. Sull'argomento, si parta da: *Vittoria* 2005.

15. Inv. 1.2.0.16. Sul disegno della *Pietà* per Vittoria Colonna e sulla sua fortuna nelle arti figurative del Cinquecento si vedano: ALBERTI, ROVETTA, SALSI 2015, pp. 277-310; ALBERTI 2015, pp.157-161.

16. COLONNA 1556, pp. 7-8.

17. LATUADA 1737-1738, IV, pp. 433-438; VINCENTI 2000, p. 475.

18. L'acquisto del terreno da parte dei padri agostiniani ebbe luogo il 6 agosto 1591 (Archivio di Stato di Milano, *Fondo di Religione*, 648; reso noto da CONTE 2013-2014, p. 18, nota 36).

19. CONTE 2013-2014, p. 18.

20. Sulla chiesa in generale si segnala anche altra bibliografia consultata: ROTTA 1891, pp. 138-139; PONZONI 1930, pp. 306-307; MEZZANOTTE, BASCAPÈ 1968, p. 380; L. Maggioni, in *Le chiese* 2006, p. 82, n. 7. Per una sintesi bibliografica è utile la scheda *online*: *Contributo a una bibliografia delle chiese di Milano*, a cura di Alberto Di Bello, Comune di Milano-Biblioteca Comunale Centrale, p. 11 (http://mssormani.comune.milano.it/Allegati/Bibliografie/Milano_Chiese.pdf). I disegni di Giovanni Battista Chiappa sono conservati presso il Fondo Ornato Fabbriche dell'Archivio Storico Civico (serie 1, cartella 0014).

21. Una prima analisi è stata fatta a seguito dell'intervento di restauro degli anni Novanta del secolo scorso: S. Zuffi, A. De Vitini, in *Cortili aperti* 1997, pp. 14-15. Sul punto anche VINCENTI 2000, p. 482.

22. M. Tanzi, in *Bramantino* 2012, p. 271, n. 24.

23. ROTTA 1891, p. 139; sugli sviluppi della committenza tra Quattro e Cinquecento, si veda inoltre: ROSSETTI 2017, p. 30.

24. Inv. P.S. p. 19-36.

25. Inv. Tri. p. 1-72: ARRIGONI, BERTARELLI 1936, pp. 43-44, nn. 236, 239. Su Perego: ALBERTI, MONFERRINI 2017, pp. 64-65. Per una datazione della stampa più precoce: AGOSTI, STOPPA 2017, p. 22.

Dal *Vesperbild* alla *Pietà* Rondanini: verso la modernità

Giovanna Mori

Le sale dell'antico Ospedale Spagnolo ospitano in questi giorni la mostra *Vesperbild*, una esposizione idealmente collegata con l'adiacente Museo della Pietà Rondanini, che conserva l'omonima scultura (fig. 1), incompiuta e drammatica opera finale di Michelangelo Buonarroti.

Il denso percorso della rassegna, racchiuso all'interno di un'accurata scelta di opere eseguite tra la seconda metà del Trecento e la metà del Cinquecento, intende rendere conto dello sviluppo di un soggetto iconografico di note origini nordiche, che si diffonde con accenti e declinazioni differenti anche in Italia: una testimonianza esemplare e universalmente conosciuta è la cosiddetta *Pietà* vaticana, qui presente attraverso un suo calco (cat. 22), ad evidenziare, con la perfetta forma «classica», l'evoluzione maturata da questo tipo di rappresentazione sul nostro territorio (catt. 2, 9-11, 13-15, 18-21). Il capolavoro michelangiolesco, eseguito negli anni giovanili del maestro (1497-1499) su incarico del cardinale francese Jean Bilhères de Lagraulas e destinato a diventare un'icona universalmente ammirata e riprodotta anche in numerose stampe a partire dalla metà del secolo (cat. 24; fig. 2), appare nella perfetta resa formale di un Cristo e di una Madre ormai del tutto privati di quegli accenti di drammatica e tragica espressività formulati con forza nelle prime opere d'Oltralpe.[1]

Il *rigor mortis* del Salvatore, così evidente ad esempio nel gruppo ligneo della Liebieghaus di Francoforte (cat. 1), lascia il posto, nella *Pietà* romana, ad una eloquenza contenuta, non più volta a suscitare sentimenti di immedesimazione nei devoti così come esplicitamente richiesti nelle prime rappresentazioni del *Vesperbild*. In Italia i caratteri dell'«immagine dei vespri», nell'assumere il nome di Pietà, si trasformano e addolciscono, perdendo ogni carattere volutamente espressivo; come giustamente osserva in questo volume Salvatore Settis, la sintesi realizzata da Michelangelo con la sua prima *Pietà* porta alla compiuta convergenza tra il bello e il naturale.

Se con il giovanile gruppo scultoreo del Vaticano, che rappresenta con perfetta armonia un ideale rinascimentale – che non dipende, però, da un modello classico inteso come greco-romano – Michelangelo opera forti modifiche rispetto ai *Vesperbilder*, distanziandosene, con la Rondanini torna invece, straordinariamente, a riavvicinarsi agli antichi modelli oltremontani, dopo oltre due secoli.[2] La totale verticalità assunta dalla scultura consente quasi di accostarla alla già citata *Pietà* di Francoforte o al *Vesperbild* di ubicazione ignota (fig. 3 a p. 39), dove la rigidità del corpo di Cristo e il dolore espresso dal volto della Madonna dovevano favorire ed accompagnare la commozione del riguardante, del devoto; va peraltro segnalato anche il confronto con la giovanile tavola londinese

della *Deposizione* (National Gallery, inv. NG790) come precedente significativo, anche perché, seppure distanziate da un amplissimo lasso cronologico, entrambe le opere costituiscono due singolari testimonianze del non-finito michelangiolesco.

La vicinanza tra l'ultima prova di Michelangelo, che richiede la presenza partecipata dell'osservatore per dare forma a quanto di inespresso sta nella scultura, e l'emotività esternata dalle *pathosformeln* tedesche, create proprio per rispondere ad una esigenza di fede popolare, sembrano riassumersi ed affiancarsi nella destinazione pietistica, vocazione finale nella quale trovano senso compiuto queste opere.

Michelangelo, che doveva comunque aver visto, nel viaggio bolognese del 1494-1495, opere intense e drammatiche quali il *Compianto* di Nicolò dell'Arca in Santa Maria della Vita, percorre dunque un tragitto a ritroso, come a voler scandire il proprio cammino terreno attraverso alcune riprese di un tema, che hanno il loro culmine nella *Pietà* Rondanini: qui nella dissoluzione della forma e nella fusione dei corpi sbozzati si richiama proprio quel motivo «gotico» e anticlassico, ravvisato solo a partire dal primo Novecento dai critici di orientamento espressionista.[3] La modernità e l'attualità della *Pietà* Rondanini si devono soprattutto alla particolare condizione dell'opera, leggibile come un palinsesto dove gli interventi ripetuti e poi cancellati dal maestro pongono il gruppo «al limite estremo della prassi scultorea rinascimentale» e favoriscono un suo recupero critico quasi ad interpretare la scultura iconicamente come un esempio nuovamente fondativo per l'arte sacra del dopoguerra.[4] Non è un caso se Giacomo Manzù, coinvolto tra l'altro nell'allestimento museale della scultura dopo l'acquisto da parte del Comune di Milano nel 1952, abbia lasciato almeno due studi derivati dalla Rondanini (fig. 3).[5]

La prima e l'ultima *Pietà* michelangiolesche appaiono agli opposti, non solo formalmente, ma anche per come sono state consegnate dalla letteratura critica, quasi a paradigma di come può modificarsi negli anni la visione artistica di una geniale personalità: la *Pietà* vaticana gode da subito di fama immediata mentre la *Pietà* Rondanini è rimasta nell'oscurità critica fino a circa centocinquanta anni fa; la committenza illustre e documentata della prima contrasta con il carattere intimo e personale della seconda, scolpita da Michelangelo in solitudine.[6] A questo proposito si potrebbe proseguire a lungo nell'indicare le assolute divergenze tra i due capolavori: orizzontalità e verticalità; classico e anticlassico, finito e non finito, o, in fondo, bello da una parte, sublime dall'altra, per impiegare categorie proprie dell'estetica romantica; il ripudio per le norme espresse dalla prassi esecutiva rinascimentale sulla perfezione della forma, e l'adesione volontaria all'idea di un'opera non finita come più rispondente alle sue necessità per non annientare del tutto l'evidenza del processo creativo, rappresentano per Charles de Tolnay, tra i massimi studiosi dell'artista toscano, proprio l'essenza dell'ultimo Michelangelo.[7]

Un filo conduttore ben percepibile – che qui si è cercato di riassumere per pochi accenni – sembra dunque legare le composizioni pietose di area nordica con l'opera estrema di Michelangelo: la *Pietà* Rondanini, con la sua grande capacità evocativa, pare trovare la sua potenziale collocazione sia nella rivisitazione della scultura dei *Vesperbild*, cariche ancora di tutto l'ardore pietistico medievale, sia nell'estetica contemporanea, per il peso esistenziale, per l'espressione tragica e ambigua delle sue forme, e, quasi a voler rappresentare un paradosso, si allontana dalla cultura che l'ha generata, quella del tardo rinascimento, di cui il suo autore è stato forse il massimo e controverso interprete.[8]

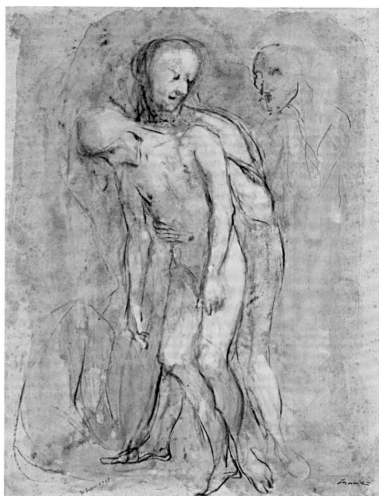

1. Si veda in particolare, per la *Pietà* vaticana: ALBERTI 2015, pp. 204-211; l'esemplare nella Civica Raccolta delle Stampe Achille Bertarelli è l'inv. Art. m. 41-17.

2. FIORIO 2004, pp. 24-25.

3. CLARK 1956, p. 249: «Michelangelo has pared away everything which could suggest the pride of the body, till he has reached the huddled roots of a Gothic wood carving». Anche Valerio Mariani metteva in connessione il tormento finale michelangiolesco con lo stile della scultura: «per la magrezza delle figure e per la tensione interiore della forma, ha fatto pensare a più d'uno all'ideale neogotico in cui non sarebbe difficile riconoscere l'atteggiamento religioso del vecchio artista» (MARIANI 1942, p. 236).

4. CERIANA 2002, p. 7, per il quale il nuovo approccio interpretativo della scultura fu sancito da quegli studiosi «quasi a risarcire l'oblio dei secoli precedenti e la sua condizione di capolavoro concepito troppo in anticipo»; si veda anche PAOLETTI 2000.

5. MOCERI 2000, pp. 144 e 154, nota 60; DI MAURO 2016, pp. 57-59, 73-78, note 17-21. I due disegni di Manzù (Milano, Castello Sforzesco, Gabinetto dei Disegni, inv. AG 428, r/v) risalgono al 1945, e sono rispettivamente a carboncino e a matita. Sono stati acquistati nel 1953 dal Comune di Milano direttamente dall'artista, e sono in evidente relazione con la *Pietà* di Michelangelo, pervenuta da pochi mesi nelle collezioni del Museo d'Arte Antica del Castello Sforzesco: *Disegni* 1971, n. 52 (p. s. n.); *Da Modigliani* 1991, pp. 136, 170-171, n. 101; RUSCONI 2001, pp. 11, 14.

6. Tra i primi estimatori della scultura fu John Charles Robinson, commissario della famiglia reale inglese incaricato per l'acquisto di opere d'arte da destinarsi al South Kensington Museum; vide la *Pietà* nel 1857, nel cortile del palazzo di Via del Corso a Roma, all'epoca sede dell'ambasciata russa, ma non riuscì nel tentativo di acquistare l'opera che così descriveva: «portions of this half-formed marble are of great beauty, and it is replete with sublime and touching expression» (ROBINSON 1870, pp. 80-83, 337-338, nota 14).

7. DE TOLNAY 1969-1971, V, pp. 89-92, 154-157.

8. La fortuna dell'opera, ad esempio presso i fotografi, risiede anche nella grande varietà interpretativa che la scultura consente; di recente Mario Cresci ne ha offerto una lettura moderna e drammatica nella mostra organizzata proprio presso le sale dell'antico Ospedale Spagnolo del Castello Sforzesco dal 25 maggio al 25 settembre 2016: *Mario Cresci. In aliam figuram mutare. Interazioni con la* Pietà *Rondanini di Michelangelo*.

Archeologia della *Pietà*

Salvatore Settis

La *Pietà* giovanile di Michelangelo come reperto archeologico (cat. 24): intatta in ogni sua piega, eppure inserita entro una nicchia in rovina, con l'*herba parietaria* d'ordinanza proprio come il *Laocoonte* nella celebre incisione di Marco Dente (cat. 23). E per giunta, dichiara la scritta con antiquario puntiglio, scolpita da Michelangelo *ex uno lapide*, proprio come il *Laocoonte* secondo Plinio (che però su questo punto sbaglia). Questa antichizzazione della *Pietà* vaticana segna opportunamente l'approdo di una mostra che, credo per la prima volta, esplora l'origine del tipo in Germania e il suo evolversi in Italia, fino alla riflessione e all'opera di Michelangelo.

Una *Pietà* all'antica, quella da lui firmata, eppure in assenza di diretti precedenti antichi; anzi, proprio dallo schema della Madonna col Figlio derivano il compianto di Ecuba e quello di Tisbe in occorrenze tardo-trecentesche ricordate in catalogo (figg. 31-32 a p. 88). Nell'arte classica, naturalmente, non mancavano scene di compianto funebre, come nella Colonna Traiana, dove la grandiosa sequenza del suicidio collettivo dei Daci vicini alla sconfitta finale si accompagna a toccanti immagini di guerrieri che piangono un compagno defunto (fig. 1). Ma se pure l'occhio di Michelangelo possa esser caduto su questa o simili scene, non è certo da un modello greco-romano che vengono la materia e la misura classica della sua *Pietà*. Come questo catalogo puntualmente documenta, è Oltralpe che dobbiamo cercarne le radici.

Il corpo morto del Cristo, appena deposto dalla Croce, steso sul grembo della Madonna addolorata: questa scena, così frequente nell'arte cristiana, non è mai menzionata nei Vangeli, nemmeno alla lontana. L'invenzione del tema spetta alla devozione e alla mistica tedesca del primo Trecento, e in particolare alle tecniche della preghiera elaborate in ambito domenicano. L'assiduo esercizio della pietà richiedeva che lo sguardo del credente, fisso ora sui testi ora sulle immagini sacre, ne sapesse estrarre o distillare passioni ed emozioni intensamente vissute, e perciò spiccatamente corporee. Per riviverle interiormente, per farle proprie, per tradurle in *acta religionis* nell'anima e nel corpo con spirito penitenziale. Perciò parve opportuno condensare, anche andando oltre i Vangeli, immagini mentali di grande potenza emotiva, tra le quali primeggia quella della Vergine col Figlio, che evoca l'incarnazione e la passione di Cristo, ma anche l'umanissimo lamento funebre di una madre. Prestissimo, e sempre a nord delle Alpi, l'immagine mentale dei mistici si tradusse in statue devozionali destinate ai fedeli, e designate col nome tedesco *Vesperbild* (cioè «immagine dei vespri», perché nel breviario l'ora dei vespri corrisponde alla deposizione dalla Croce). L'invenzione iconografica era così potente ed efficace

Fig. 1. Arte romana, *Un guerriero dace piange sul corpo di un compagno morto*, inizio del II secolo d.C., Roma, Colonna Traiana, scena CXXI, 329 (particolare)

che si diffuse anche in Italia, dove ci sono ancora oggi in molte chiese, dal Brennero alla Basilicata, decine di *Vesperbilder* di scultori transalpini, nelle quali il corpo senza vita di Cristo si allunga sulle ginocchia di Maria, rinsecchito e teso, come fosse un crocifisso di legno appena staccato dalla Croce. Quasi che dalle più vaste scene di *Deposizione* si volesse isolare la figura della Madonna, deponendo poi nel suo grembo l'inerte corpo di Gesù, anchilosato e contratto nel *rigor mortis*.

Il tema arriva in Italia senza mediazioni, per trapianto diretto dalla scultura tedesca, ma viene gradualmente assimilato e riproposto dagli artisti locali, che tendono prima a ripetere tal quale la tipologia nordica, poi a trasformarla profondamente. Michelangelo affrontò il soggetto tre volte nella sua lunga vita, in celebri sculture, ed è fors'anche per suo merito che esso viene chiamato anche in altre lingue con la parola italiana *Pietà*, che nella letteratura storico-artistica ha finito col prevalere su *Vesperbild*. Eppure a questo tema gli scultori italiani non seppero all'inizio dare soluzioni adeguate, se non ripercorrendo con qualche variante le esperienze transalpine. Nel corso del Quattrocento, le strade dei *Vesperbilder* in Italia e quelle di una crescente tensione degli artisti verso la classicità ritrovata si sfiorano nelle stesse città, nelle stesse chiese, ma paiono non doversi fondere mai. E, come gli esempi in mostra e il ragionare di questo catalogo mostrano con eloquenza, lo sviluppo dal *Vesperbild* «alla tedesca» alla Pietà «all'italiana» è tutto interno alla tipologia e all'uso devozionale del tema, e all'arte classica greco-romana deve la ricerca non di remoti modelli iconografici, ma invece di un misurato equilibrio delle parti. Così in Italia la cruda, anticlassica espressività nordica cede il passo a un tono più assorto, a una nuova attenzione alle proporzioni, a una più dolente intimità. Il cadavere di Gesù finisce col perdere quel suo *rigor mortis* e ricade dolcemente in grembo a Maria, inerte e nudo. Il vigoroso espressionismo dei modelli d'Oltralpe viene gradualmente assorbito e tradotto in un *pathos* che vuole incarnare senza eccessi la verità di natura.

La prima *Pietà* di Michelangelo resta fino ad oggi la più celebrata rappresentazione del tema, elaborata e rispecchiata da artisti d'ogni tempo. Un esempio recente è l'*Invisible Mother* dello svizzero Urs Fischer (2015), che riduce letteralmente all'osso la statua di Michelangelo abolendo la Madonna e spolpando fino allo scheletro il corpo di Gesù (fig. 2). Ma anche in questa spoglia carcassa sopravvive, riconoscibile, il braccio pendulo del defunto. È «il braccio della morte», formula di *pathos* diffusissima, secondo una linea che ai suoi punti più alti include, oltre alla *Pietà* vaticana di Michelangelo, la *Deposizione* di Raffaello e quella di Caravaggio, se non vogliamo arrivare fino al *Marat* di David. Spesso se ne addita l'origine nell'arte antica, sulla scia di un celebre passo di Leon Battista Alberti (vedi p. 74), dove si descrive una figura di Meleagro, che

> morto, portato, aggrava quelli che portano il peso, e in sé pare in ogni suo membro ben morto: ogni cosa pende, mani, dita e capo; ogni cosa cade languido; ciò che ve si dà ad esprimere uno corpo morto, cade languido.

Alberti aveva negli occhi un sarcofago di Meleagro, ben visibile a Roma dal suo al nostro tempo, che credo di aver identificato qualche anno fa (fig. 26 a p. 74). Ma gli esempi di *Vesperbilder* raccolti in questa mostra (catt. 1-2, 10-12, 14-19) o citati nel saggio seguente (figg. 1, 3-5, 7-10, 28-29, 33-36) bastano a mostrare che la

Fig. 2. Urs Fischer, *Invisible Mother*, 2015, San Francisco, Legion of Honor Museum

formula di *pathos* del «braccio della morte» era diffusa a Nord delle Alpi molto prima che Alberti indicasse quel modello classico, ad uso degli artisti che girassero per Roma.

Una stessa *Pathosformel*, dunque, si ritrova nell'arte antica (per Meleagro) e in quella medievale (per Cristo), con invenzione del tutto indipendente. Anche il linguaggio gestuale conferma che l'archeologia della *Pietà*, con la creazione del suo tipo iconico e canonico che vediamo ancora in San Pietro, non passa per la mera adozione di modelli all'antica, ma attraverso la prodigiosa assimilazione e *ruminatio*, anzi in ultimo la piena fusione, del patrimonio devozionale e visionario dei *Vesperbilder* da un lato e, dall'altro, dello spirito dell'arte classica, in quella sua tensione a far coincidere il «bello» e il «naturale». Singolarissima convergenza, che solo poté avvenire, in quel 1498-1499, ad opera di un Michelangelo poco più che ventenne.

Vesperbild. Un percorso attraverso la mostra

Agostino Allegri e Antonio Mazzotta

1. La *Pietà* nasce in Germania

«Si è convenuto con mastro Michelangelo statuario fiorentino, che lo dicto maestro debia fare una Pietà di marmo a sue spese, cioè una Vergene Maria vestita con Christo morto in braccio, grande quanto sia uno homo justo».[1] Questi sono i termini dell'accordo stabilito il 27 agosto 1498 tra il cardinale francese Jean Bilhères de Lagraulas e Michelangelo per la realizzazione della *Pietà* oggi nella basilica Vaticana di San Pietro. L'esigenza di specificare che cosa si intendesse con «Pietà» denota l'ambiguità del termine in italiano. Per comprendere le origini della scultura michelangiolesca bisogna infatti risalire nel tempo e calarsi in un contesto completamente diverso. In Germania, al principio del Trecento, le prime occorrenze del tema prendono il nome di *Vesperbild*. Il termine significa letteralmente immagine del vespro perché rievoca il momento in cui, al tramonto del venerdì santo, il corpo di Cristo deposto dalla Croce è in attesa di sepoltura. Nel breviario, i vespri del venerdì santo sono dedicati infatti alla Passione di Cristo.

Vesperbild indica in particolare l'immagine del gruppo isolato di Cristo morto nel grembo di Maria, che lo compiange: la lingua italiana fin dalle prime occorrenze – come si è anche visto nel contratto michelangiolesco – ha utilizzato per questa raffigurazione il termine Pietà, che rispetto a *Vesperbild* ha uno spettro semantico più ampio.[2] Infatti, mentre la parola tedesca rimanda all'immagine (*Bild*), il corrispettivo italiano indica uno stato emotivo che è alla base anche di altre raffigurazioni devozionali del Cristo morto (per esempio, l'Uomo dei dolori, il Cristo sorretto dagli angeli, il Cristo in pietà tra la Vergine e San Giovanni Evangelista). La diffusione di immagini devozionali – in tedesco definite *Andachtsbilder* – è un fenomeno che investe l'intera Europa a cavallo tra Duecento e Trecento.[3] Queste raffigurazioni presentano i personaggi sacri inattivi e isolati rispetto alle scene evangeliche: espedienti per puntare al coinvolgimento emotivo del fedele. Il caso del *Vesperbild* è particolarmente rilevante nell'ambito degli *Andachtsbilder*.

La scena di Cristo morto nel grembo di Maria non è descritta all'interno dei Vangeli, che passano direttamente dal momento della Deposizione a quello della Sepoltura. Una proliferazione di questo genere d'immagini, senza precedenti diretti nell'iconografia cristiana, ha luogo nel cuore della Germania al principio del Trecento, inizialmente sotto forma di sculture lignee destinate agli altari per la devozione. Questa produzione coincide cronologicamente con l'emergere di un filone della mistica tedesca di matrice domenicana che medita sulle sofferenze della Vergine sotto la Croce, in una prospettiva

Cat. 1. Particolare

d'immedesimazione del devoto nei confronti della Passione. La collocazione e il potenziale di coinvolgimento emotivo di questi manufatti sono ben esemplificati – seppur già al principio del Cinquecento – dalla xilografia che apre il *Tractatus in elucidationem* dell'olandese Jacobus de Marcepallo. Qui, il domenicano laico Johann Jetzer in preda a una visione è adagiato sull'altare con le stigmate in mostra, mentre in alto a sinistra l'ostia insanguinata è indicata con stupore dagli astanti (fig. 1). Il tutto, davanti a un *Vesperbild* scultoreo.[4]

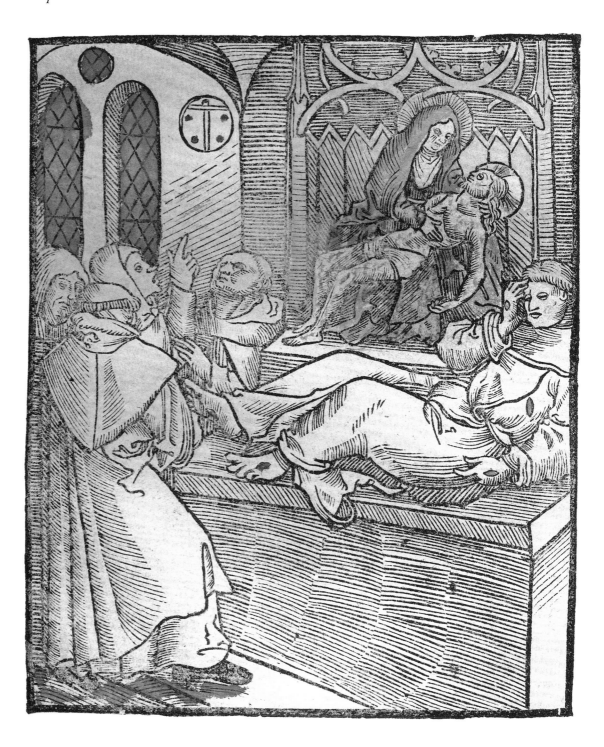

Fig. 2. Miniatore parigino, *La madre sunammita con il figlio morto*, 1225-1250 circa, in *Bible moralisée*, Vienna, Österreichische Nationalbibliothek

Sulle origini iconografiche della raffigurazione isolata della Madonna con Cristo morto in grembo sono state avanzate delle proposte, e dal punto di vista compositivo non mancano occorrenze a monte dei primi *Vesperbilder* lignei. Per esempio, già in una miniatura all'interno della *Bible moralisée* decorata a Parigi intorno al 1225-1250, e oggi conservata a Vienna, all'Österreichische Nationalbibliothek, si trova un precedente nella figura dolente della madre sunammita con il figlio morto in grembo (fig. 2), a rappresentare un passo dell'Antico Testamento (II Libro dei Re IV, 20).[5] Nella penisola italiana, nel terzo quarto del Trecento, fiorisce una produzione pittorica di *Pietà* in cui la Vergine seduta per terra tiene sollevato il busto di Cristo per avvicinarne il volto: il rapporto con la tradizione tedesca del *Vesperbild* è ancora discusso – e si vedrà il perché – ma è probabile che all'origine degli esempi italiani stia un'elaborazione intelligente e combinata delle iconografie del Compianto – di origine bizantina – e della Madonna dell'umiltà.[6] Tuttavia, è in Germania, al principio del Trecento, che questo schema compositivo si è concretizzato per la prima volta, in scultura.

Il percorso della mostra si apre infatti con uno straordinario gruppo ligneo policromo: la *Pietà* (cat. 1), oggi alla Liebieghaus di Francoforte sul Meno, forse proveniente da Boppard, nei pressi di Coblenza (ma è stata chiamata in causa anche Oestrich, vicino a Magonza), nella valle del Reno.[7] La Vergine, dall'espressione contrita e meditabonda, siede su un rialzo del Golgota, il monte delle esecuzioni capitali, come testimoniano i due teschi incassati alla base. Il manto, sontuoso e ricoperto di foglia d'oro, si svolge in pieghe eleganti da cui spunta il piede destro con un calzare appuntito. Con entrambe le mani sostiene in posizione verticale il corpo rigido e rattrappito del Figlio, le cui proporzioni paiono diminuite rispetto alla mole monumentale della Madonna. La temperie espressionista del gruppo è accentuata dalla grande quantità di sangue raggrumato in corrispondenza delle ferite.

Quest'esemplare è solitamente datato tra la fine del Trecento e l'inizio del Quattrocento: una cronologia suggerita anche dall'eleganza tardogotica dei panneggi, ma restituisce

Fig. 3. Scultore tedesco, *Vesperbild*, 1380-1400 circa, ubicazione ignota

Cat. 1. Vista laterale

– in una scala più ridotta e in un ritmo più dolce – la tecnica e alcune caratteristiche dei più antichi *Vesperbilder*, i cosiddetti *Heroischen Vesperbilder* (Pietà eroiche).[8] Questi si contraddistinguono per le grandi dimensioni (sono alti quasi due metri) e per il ritmo spezzato ad andamento diagonale, quasi a formare una scala, del corpo di Cristo irrigidito dal *rigor mortis* (e da qui la definizione di *Treppenförmiger Diagonaltyp* – tipologia in diagonale a forma di scala), come risulta evidente dall'esemplare dell'Ursulinenkloster di Erfurt (fig. 4), che fa parte di un gruppo abbastanza coerente di una decina di sculture lignee addensate nell'area centro-germanica, tra la Franconia orientale e la Turingia, tradizionalmente datate nella prima metà del Trecento.[9] Il confronto tra la *Pietà* di Erfurt e quella di Francoforte è istruttivo per comprendere le declinazioni trecentesche di questa tipologia nelle diverse zone della Germania. La *Pietà* di Erfurt presenta la Madonna seduta su un trono, una derivazione dalla tradizionale Madonna con il Bambino in trono, mentre la *Pietà* di Francoforte siede per terra, motivo per cui è stata chiamata

Fig. 4. Scultore tedesco, *Vesperbild*,
1330-1340 circa, Erfurt,
Ursulinenkloster

Fig. 5. Scultore tedesco, *Vesperbild*, 1360-1380 circa, Bonn, Landesmuseum

in causa l'iconografia della Madonna dell'umiltà.[10] Inoltre, la prima è disposta frontalmente, mentre la seconda vede la Vergine seduta diagonalmente con il corpo di Cristo che rimane perpendicolare al suo. Nel primo caso, l'espediente di disarticolare il collo di Cristo permetteva al fedele di vederne il volto. Nel secondo caso, la disposizione già parzialmente frontale del corpo di Cristo non lo richiede più.

La *Pietà* di Francoforte appartiene a una categoria di *Vesperbilder* diffusa soprattutto nella zona del Medio Reno e nota, negli studi italiani, come Pietà *corpusculum* (per la dimensione rimpicciolita del corpo di Cristo), che ha come esemplare più famoso la *Pietà* Roettgen (fig. 5), oggi al Landesmuseum di Bonn.[11] Tuttavia, quest'ultima mantiene, a differenza della *Pietà* della Liebieghaus, alcuni aspetti arcaici delle Pietà eroiche, nonostante le dimensioni ben più contenute, come l'andamento scalare del cadavere di Gesù e il collo disarticolato. Per questo, una datazione tra anni Sessanta e Settanta del Trecento – e dunque a metà strada tra il gruppo delle Pietà eroiche e la *Pietà* di Francoforte – pare la più convincente. La bottega che ha intagliato la scultura di Francoforte è con ogni probabilità la stessa responsabile del quasi identico *Vesperbild* oggi disperso e già esposto nel 1924 all'Augustinermuseum di Friburgo in Brisgovia (fig. 3): una prova della serialità di questi oggetti, pur finissimi in termini di fattura.[12]

In merito alla Pietà *corpusculum* è stato richiamato, a livello di pura suggestione, un passo del domenicano Enrico Susone – personaggio che si incontrerà a breve – dal *Büchlein der Ewigen Weisheit* (*Il Libretto dell'Eterna Sapienza*): qui Maria, nel lamento sul corpo di Cristo deposto, ricorda il tempo felice in cui godeva dell'«amabile infanzia» del figlio.[13]

Origini

La più antica notizia indiretta sull'esistenza di un *Vesperbild* risale al 1298, quando nella chiesa carmelitana di Colonia è istituita un'indulgenza per chi avesse pregato davanti alla statua della Vergine con Cristo in grembo e le Marie intorno.[14] Proprio a Colonia dal 1285 circa è presente nello *Studium* generale dell'ordine domenicano Meister Eckhart, che si era formato nel convento di Erfurt.[15] Nello stesso ambiente, negli anni Venti del Trecento, Eckhart avrà un importante seguito, in particolare negli allievi Enrico Susone e Giovanni Taulero, due mistici spesso chiamati in causa nella letteratura sulle origini del *Vesperbild*. Non si è infatti ancora arrivati a un chiarimento definitivo sulle fonti di quest'iconografia: certo la comparsa di queste immagini avviene parallelamente all'intensificarsi di una corrente mistica che, nel cuore della Germania, pone al centro delle meditazioni devozionali la Vergine, isolata, con il figlio morto in grembo.[16]

A questo proposito risultano molto efficaci, se letti con davanti agli occhi uno dei *Vesperbilder* affrontati in precedenza (cat. 1; figg. 3-5), alcuni passi delle meditazioni sulla Deposizione di Susone, databili intorno al 1327-1328, che vedono dialogare un uomo comune, il servo, con la Vergine:

SERVO: Pura Madre e tenera Signora, quando ebbe termine la grande e amara sofferenza del tuo cuore per il tuo diletto Figlio?
REGINA DEL CIELO: Ascoltalo con commossa pietà. Dopo che il mio tenero Figlio fu spirato e pendente così morto davanti a me, e tutta la forza del mio cuore e dei miei sensi s'infranse completamente, non potendo fare altro, sollevai molte volte pietosamente gli occhi verso il

mio Figlio morto. E quando vennero e vollero distaccarlo, fu per me come se fossi destata dalla morte. Quanto maternamente ricevetti le sue braccia morte, con quale fedeltà le premetti alle mie guance tinte di sangue, e quando mi fu ridato, con che profondità d'amore lo strinsi così morto tra le mie braccia, premetti sul mio cuore materno l'unico, eletto, tenero Amore, e coprii di baci le sue fresche, sanguinose ferite, il suo volto morto, che tuttavia, come pure il suo corpo, si era trasfigurato in una bellezza assai deliziosa, tutti i cuori insieme non potrebbero meditarlo! Presi in grembo il mio tenero Figlio e lo guardai: era morto. Lo guardai e riguardai: non aveva né sentimento né voce. Vedi, il mio cuore allora morì di nuovo, e avrebbe voluto, per le ferite mortali che ricevette, scoppiare in mille pezzi. Allora si lasciò sfuggire molti sospiri intimi, senza fondo; i miei occhi versarono molte lacrime amare e pietose, presi un aspetto assai triste.[17]

L'immedesimazione patetica del fedele nei confronti della Passione passa attraverso l'evocazione di un'immagine descritta in ogni dettaglio, che i primi esemplari scolpiti riprendono fedelmente. L'insistenza sul dolore di Maria sia nel testo che nelle sculture diventa la chiave per la comprensione intima da parte del fedele della Passione di Cristo: si parla infatti di *Compassio Mariae*. A quel punto, richiamando sempre Susone, il devoto è spinto a identificarsi con la Vergine, e ad accogliere egli stesso in grembo il corpo di Cristo morto:

Ah, mia totale salvezza, con un desiderio così veementemente infuocato, con affetto ferventissimo, ti ricevo ora tra le braccia dell'anima mia, ti stringo, a te mi unisco con riverenza, lode e rendimento di grazie… Ecco che i miei occhi mirano fissamente il tuo pallido volto; tutta l'anima mia, liquefatta nel tuo amore, bacia con insistenza le tue ferite sanguinanti, e tutte le mie forze e le mie facoltà si pascolano tra le lacrime del frutto della tua passione.[18]

Una dinamica contraria sta alla base di una rara iconografia che compare in un murale quattrocentesco (fig. 6) nella chiesa di Saint Lawrence a Broughton, nel Buckinghamshire, in Inghilterra. Qui, al centro la Madonna stante porta in braccio il Figlio secondo le modalità compositive del *Vesperbild*. Tutt'intorno, alcune figure maschili recano in mano pezzi del corpo di Gesù, che infatti appare mutilato. Questi personaggi sono i blasfemi, che bestemmiando su parti anatomiche di Cristo (con formule del tipo «by Christ's foot!», oppure «by the heart of Christ!»), è come se sottraessero le stesse parti sotto gli occhi della Vergine: invece che compartecipare al suo dolore, lo accrescono con il loro peccato.[19] Un meccanismo che avvicina questa iconografia al più noto Cristo della domenica.

Le riflessioni maturate in ambito domenicano in Germania devono avere guidato, attraverso le ramificazioni dell'ordine, la diffusione di questo genere di immagini anche nella penisola italiana in date molto precoci. Un esempio è offerto da Bologna, dove San Domenico di Guzmán aveva passato gli ultimi anni ed era morto nel 1221. Non è un caso infatti che uno dei primi esempi databili di *Vesperbild* in Italia sia la tavola del bolognese Simone dei Crocifissi, oggi a Bologna, al Museo Davia Bargellini (cat. 2).[20] Sotto la volta celeste, sormontata da un coro di sei angeli piangenti, la Vergine, seduta per terra, contempla il Figlio morto, accogliendo il suo corpo sulle ginocchia e tenendogli il capo con la mano destra. Il busto di Gesù è ruotato verso lo spettatore per permettergli una visione quasi frontale, in una modalità analoga a quella della *Pietà* di Francoforte (cat. 1). In basso, accanto all'iscrizione, sta, rimpicciolito secondo la gerarchia, il committente in adorazione. La cronologia e il significato dell'immagine sono chiariti dalla scritta che precede la firma dell'artista: ista(m) tabula(m) fecit fieri ioha(n)nes de elthinl qui obiit anno d(omi)ni mccclxviii die xxvi me(n)sis julii cui(us) a(n)i(m)a requiescat i(n) pace. Il committente, morto il 26 luglio 1368 ancora abbastanza giovane, a giudicare dall'apparenza nel ritratto, è stato spesso indicato come straniero visto il luogo di provenienza («de Elthinl»), pur non ancora identificato (forse Elten, nell'Alto Reno), e non è da escludere che fosse una presenza legata al contesto cosmopolita dell'università bolognese.[21] L'immagine assume in quest'ottica il carattere di epitaffio, appartenendo a un genere che nella letteratura si è definito *Epitaphbild*, una costante – come si vedrà (ad esempio cat. 9) – nell'uso del *Vesperbild* legato alla morte e alla sepoltura dei committenti

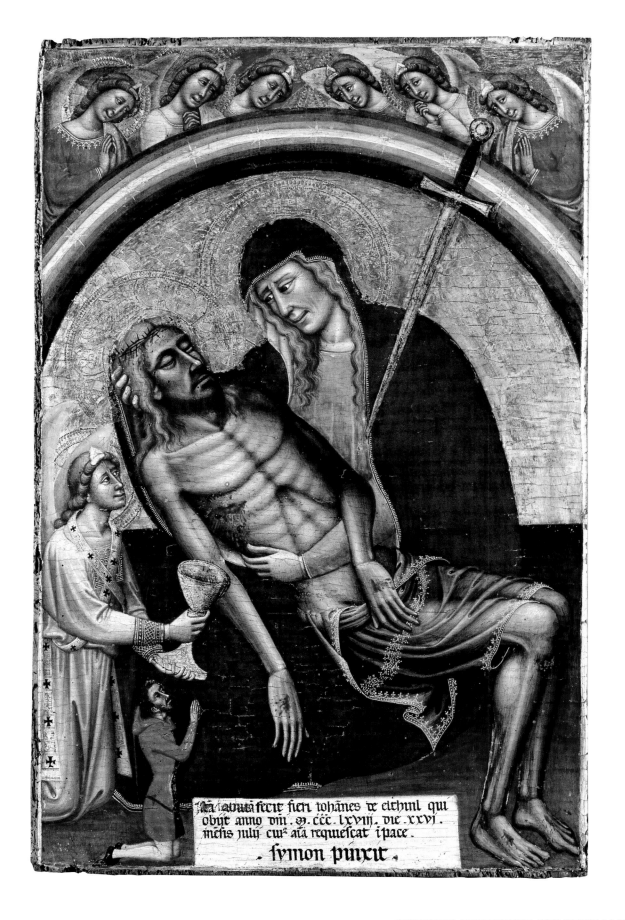

fino ad arrivare alla *Pietà* vaticana di Michelangelo, voluta da Bilhères de Lagraulas per la sua tomba nella rotonda di Santa Petronilla in San Pietro. Nella tavola di Simone dei Crocifissi la rigidità del corpo sollevato di Cristo e la magrezza esasperata che fa risaltare il costato richiamano direttamente i primi modelli lignei tedeschi (cat. 1; figg. 3-5), ma rispetto ai *Vesperbilder* visti fino ad ora la raffigurazione si arricchisce di altri particolari significativi. È il caso della spada che connota la Vergine come *Mater dolorosa*, un riferimento che ha la sua fonte primaria nel Vangelo (Luca 2, 34-35), e che rivive nel corso del Duecento attraverso lo *Stabat Mater* di Jacopone da Todi: «Stabat Mater dolorosa | iuxta crucem lacrimosa, | dum pendebat Filius. | Cuius animam gementem, | contristatam et dolentem | pertransivit gladius». La spada è associata alle vicende della Passione e alla *Compassio Mariae* anche nei testi di Susone in cui è la Vergine stessa a parlare:

> E mentre il figlio mio mi consolava così benevolmente e mi raccomandava al discepolo che amava e che stava là, anche lui col cuore pieno di dolore, le sue parole si conficcarono così pietosamente e in maniera tanto penetrante nel mio cuore, che trapassarono il cuore e l'anima mia come un'acuta spada; persino i cuori induriti ebbero allora grande compassione di me.[22]

La funzione del *Vesperbild* come immagine suscitatrice di compassione per Cristo attraverso il dolore della Vergine è dunque accresciuta dalla spada nel cuore, presente peraltro anche in diversi esemplari scultorei in Germania.[23] Va ricordata pure la declinazione visiva del *Vesperbild* come uno dei sette dolori della Vergine.[24] Un altro elemento insolito nella tavola bolognese è costituito dall'angelo che raccoglie con il calice dorato il sangue di Gesù, l'iconografia che sarà dal primo Quattrocento tipica dei tabernacoli eucaristici con il *Sangue del Redentore*.[25]

«L'espressionismo […] aspro e ingrato invece che straziante» di Simone dei Crocifissi si inserisce nel solco stilistico e iconografico della tradizione trecentesca bolognese, e invita a riflettere se effettivamente sia esistita una precoce conoscenza dei modelli tedeschi nella Penisola, a monte della grande diffusione di queste sculture che avverrà nel corso del Quattrocento.[26]

L'unico *Vesperbild* scultoreo di stampo trecentesco che sopravviva in Italia si trova in Sant'Eufemia a Verona (fig. 7) ed è realizzato in gesso duro: il richiamo alla tipologia della Pietà eroica è evidente (fig. 4), benché le dimensioni ridotte e altri aspetti rimandino più direttamente alla *Pietà* Roettgen (fig. 5). Anche il materiale di cui il gruppo è costituito è più comune, come si vedrà, negli esemplari del secolo successivo. Il convento agostiniano di Sant'Eufemia aveva rapporti documentati sin dal 1285 con i confratelli di Colonia.[27]

Sopravvivono poche altre *Pietà* italiane prodotte – curiosamente sempre in pittura – nello stesso giro di anni di quella di Simone dei Crocifissi, tra settimo e ottavo decennio del Trecento. Queste raffigurazioni si distinguono dal tradizionale *Compianto*, già ampiamente diffuso (celebre la scena giottesca nella Cappella degli Scrovegni a Padova), per l'isolamento iconico delle figure della Vergine e del Figlio e per l'innesto del corpo di Cristo sopra la Madre che gli tiene il busto rialzato, esattamente come avviene nei gruppi lignei tedeschi. Rispetto ai *Vesperbilder* d'Oltralpe, inoltre, la Madonna non siede su una sorta di trono o su un rialzo roccioso, ma per terra, come una Madonna dell'umiltà. Questo è effettivamente un tratto peculiare delle *Pietà* italiane del periodo: si tratta di

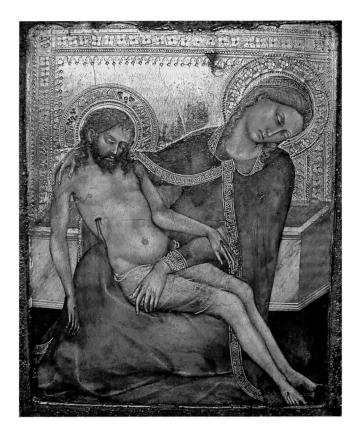 

Fig. 8. Giovanni da Milano, *Pietà*,
1360-1365 circa, collezione privata

Fig. 9. Cecco di Pietro, *Pietà tra Santi*
(particolare), 1377, Pisa,
Museo Nazionale di San Matteo

un numero abbastanza ristretto di opere, geograficamente dislocate tra Bologna, la Toscana e Napoli.[28] Il rapporto di dare e avere con la produzione tedesca di *Vesperbilder* intagliati è ancora tutto da chiarire: aldilà dei particolari iconografici che distinguono gli uni dagli altri, è interessante rilevare il fatto che in anni simili, in zone molto distanti d'Europa, sia elaborato un nuovo tipo d'immagine come risposta all'esigenza diffusa di una devozione più intima e ravvicinata. L'esempio forse più precoce, e di certo qualitativamente più alto, è la tavola di Giovanni da Milano oggi in collezione privata (fig. 8), dove Cristo, seduto in grembo alla Madre, è ridotto di scala per poter essere abbracciato da lei, assisa di fronte al sarcofago aperto. Il dipinto dovrebbe risalire ai primi anni Sessanta, e ne è stata anche ipotizzata un'origine pisana.[29] Proprio a Pisa peraltro, nel Museo Nazionale di San Matteo, esiste un polittico di Cecco di Pietro, datato 1377, che raffigura, al centro, il gruppo della Pietà con il Cristo che quasi scivola dal grembo della Madonna, fino a poggiare i piedi per terra (fig. 9).[30]

La diffusione del tema in Italia, in queste date precoci, è documentata anche dalla tavola, in collezione privata, di Roberto d'Oderisio (fig. 10), un artista attivo nella Napoli angioina (è ricordato nel 1382 alla corte di Carlo III di Durazzo), a queste date figurativamente di stretta dipendenza toscana.[31] Come nella *Pietà* di Francoforte (cat. 1) e nel dipinto di Simone dei Crocifissi (cat. 2), l'impostazione del gruppo centrale prevede il busto di Cristo ruotato verso l'osservatore, ma l'immagine si arricchisce di elementi narrativi, come la Croce alle spalle della Vergine e il sepolcro rosso, aperto sulla destra. Evidentemente questi dettagli intendono offrire al devoto uno spunto in più per inserire l'episodio extra-evangelico all'interno delle vicende note della Passione, tra Deposizione e Sepoltura.

Fig. 10. Roberto d'Oderisio, *Pietà*, 1380 circa, collezione privata

Schönes Vesperbild

Fig. 11. Scultore d'Oltralpe, *Vesperbild*, 1402 circa, Gemona, Santa Maria Assunta

Fig. 12. Scultore d'Oltralpe, *Vesperbild*, 1414-1415, Treviso, San Nicolò

Fig. 13. Giovanni Carboncino, *Il Beato Susone riceve i pani dal costato di Cristo per distribuirli ai poveri*, 1680 circa, Treviso, San Nicolò

Fin dal primo Quattrocento si registra in Italia una vera e propria invasione di *Vesperbilder* nordici nelle chiese, e i più antichi casi documentati riguardano soprattutto l'area veneta e friulana e vedono il coinvolgimento di stranieri nelle dinamiche di committenza.[32] La prima occorrenza nota risale al 1402, quando a Udine – secondo quanto riportato da un libro della confraternita di Maria – un tale «Johannes Theothonicus» è coinvolto nella compravendita di una *Pietà* in pietra «nobilissima ac formosa», purtroppo oggi perduta.[33] Nello stesso anno, nel registro delle spese della cattedrale di Santa Maria Assunta di Gemona, il camerario afferma: «spendey per la Virgino Maria chu lu cruzifiz in braz duc. 28».[34] L'esemplare, pur danneggiato dal terremoto del 1976, è tutt'ora esistente nella cattedrale ed è in gesso duro, o gesso colato (fig. 11), in tedesco *Steinguss*.[35] L'impostazione di questo *Vesperbild* si differenzia rispetto a quanto visto finora per la postura quasi orizzontale di Cristo (*Horizontaltyp*), per l'intreccio delle tre mani (le due di Gesù e quella sinistra della Vergine) e per la drammaticità stemperata: si è qui di fronte al primo caso documentato in Italia di *Schönes Vesperbild* (bella Pietà), chiamato così perché mostra i tratti della variante del gotico internazionale nota come *Schöne Stil*.[36] Con questa formula si indica una raffigurazione aggraziata del *Vesperbild* in scultura e assestata su stilemi tardogotici nei gesti e nei panneggi. L'origine della tipologia è stata circoscritta all'Europa centro orientale, tra Boemia, Baviera e Austria, sullo scorcio del Trecento. Fin da subito queste *Pietà*, prodotte in modo seriale da botteghe straniere, spesso in pietra calcarea (o pietra tenera) oppure in gesso colato, si sono diffuse in Italia a partire dall'arco alpino orientale. La tecnica del gesso colato ha facilitato la replica dei modelli: le matrici permettevano la produzione in serie delle sculture che solo in un secondo tempo venivano rifinite e policromate.[37] Questa produzione seriale è ben rappresentata dal caso documentato per la chiesa domenicana di San Nicolò a Treviso (fig. 12): nel 1414 la Scuola dei Teutonici commissiona «una imagine beate Virginis plorantis cum Christo crucifixo in bracchiis», secondo dettami peraltro molto simili a quelli per il *Vesperbild* di Gemona

 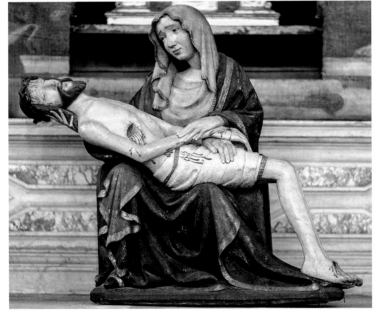

e ricorrenti nei primi documenti italiani, dove è per ora assente il termine Pietà.[38] La scultura trevigiana, saldata dalla Scuola il venerdì santo del 1415, è sempre in gesso colato e presenta una policromia posticcia piuttosto invadente. Ha una strettissima parentela con l'esemplare della chiesa di San Lorenzo a Bramberg, nel Salisburghese, pure in gesso colato, ed è plausibile che entrambi questi esemplari derivino da un prototipo elaborato a Salisburgo, da cui dipendono anche, per esempio, i *Vesperbilder* del Duomo di Ceneda (Vittorio Veneto) e del Duomo di Pieve di Cadore.[39] A San Nicolò a Treviso la devozione domenicana nei confronti della statua della *Pietà* si concretizza – a quasi tre secoli di distanza, tra Sei e Settecento – anche nelle due grandi tele che la accompagnavano, una di Giovanni Carboncino e l'altra anonima, in cui è rappresentato il confratello Enrico Susone mentre assiste all'apparizione mistica di un *Vesperbild* (fig. 13).[40]

Uno dei più famosi esemplari di *Schönes Vesperbild* in Italia, che si distingue inoltre per conservazione e qualità, è quello in pietra calcarea in Santa Sofia a Padova (fig. 14).[41] Questa scultura è stata commissionata nel 1429 da un ricco fornaio di nome Bartolomeo, che anni dopo, nel 1447, incaricherà il giovanissimo Andrea Mantegna di eseguire una pala, oggi perduta, per la stessa chiesa.[42] Il contratto specifica che la statua doveva rappresentare «unam ymaginem beate marie Virginis cum crucifisso in brachjis», secondo la formula consueta.[43] La scultura è completata nel 1430, come recita l'iscrizione

alla base, e sul lato del trono figura lo stemma del committente con le due pale da forno incrociate.[44] Il nome dell'autore si ricava dal documento di commissione, che fa riferimento a un «Magister Zilius lapicida quondam Johannis de Viena habitator Padue», da identificare in Egidio da Wiener Neustadt, attivo in quegli anni anche in altri cantieri padovani.[45] In una produzione di massa e seriale, questo è il primo caso in Italia in cui emerge la personalità dell'autore.

La presenza di sculture come quella di Santa Sofia sembra aver avuto conseguenze in ambito padovano, come testimonia l'affresco, datato 1457 ma ancora tardogotico, della parrocchiale di San Martino a Piove di Sacco: al termine della navata destra, la *Pietà* – modellata sulla tipologia dello *Schönes Vesperbild* – troneggia entro un'arcata ingenuamente all'antica (fig. 15).[46]

Sempre in area veneta, nel santuario della Madonna della Corona di Monte Baldo, vicino a Verona, è venerata da tempo immemore una statua lapidea della *Pietà* (fig. 16) con un'iscrizione incisa sul basamento, che chiarisce cronologia (1432) e committente (Ludovico di Castelbarco), su cui ad oggi non si hanno notizie precise. È stato affermato che le differenze rispetto ai modelli seriali d'Oltralpe potrebbero indicarne una fattura autoctona.[47]

La penetrazione dello *Schönes Vesperbild* nel territorio della Penisola si spinge nel corso della prima metà del Quattrocento addirittura fino alla Basilicata.[48] A Bologna sopravvivono diversi esemplari quattrocenteschi, tra cui quello in pietra calcarea del

Fig. 15. Pittore veneto, *Pietà*, 1457, Piove di Sacco, San Martino

Fig. 16. Scultore italiano (?), *Vesperbild*, 1432, Monte Baldo, Madonna della Corona

Fig. 17. Scultore d'Oltralpe, *Vesperbild*, 1430 circa, Bologna, Basilica di San Domenico

Cat. 7. Scultore boemo (?), *Vesperbild*, 1430 circa, Bologna, Basilica di San Domenico, Museo (proprietà Ministero dell'Interno, Fondo Edifici di Culto)

Museo di San Domenico (cat. 7), su cui permangono tracce di policromia. Ad esempio, sopra il velo della Vergine, risaltano le gocce di sangue che rimandano alla sua presenza ai piedi della Croce, un dettaglio di valenza narrativa presente in molti altri *Schöne Vesperbilder*.[49] L'esecuzione e la qualità sono molto alte, come mostrano le vene rigonfie sulle braccia e le gambe di Gesù, i riccioli della barba, e le fossette sul dorso della mano sinistra di Maria. Il manto ricade in basso formando risvolti a onda. Il trono presenta sui fianchi due archetti gotici, uno stilema delle *Pietà* orizzontali tra Austria e Boemia.[50] È proprio da quest'area che probabilmente proviene la scultura, alla luce anche dei numerosi confronti che si possono istituire con gli esemplari noti.[51] Non è da escludere che questa *Pietà* possa essere stata ammirata da Jacopo della Quercia, viste le non poche assonanze con le sue opere e la verosimile provenienza bolognese. È tuttavia improbabile che la scultura sia stata *ab antiquo* in San Domenico, dove è presente nella cappelletta della Pietà un altro *Vesperbild*, in questo caso ligneo e con una policromia posticcia (fig. 17).[52] Una fonte seicentesca ritiene quest'ultimo miracoloso e adorato da San Domenico stesso, anche se chiaramente appartiene alla tipologia dello *Schönes Vesperbild* quattrocentesco.[53] Un particolare che lo differenzia dagli esemplari già esaminati è il gesto della Vergine che solleva la mano sinistra di Cristo: una peculiarità che si ritrova nei coevi alabastri del Maestro di Rimini e della sua cerchia (catt. 3-4; fig. 19). Sulla diffusione dell'iconografia della Pietà nella Bologna del Quattrocento, anche in rapporto con il giovane Michelangelo, si avrà modo di tornare più avanti.

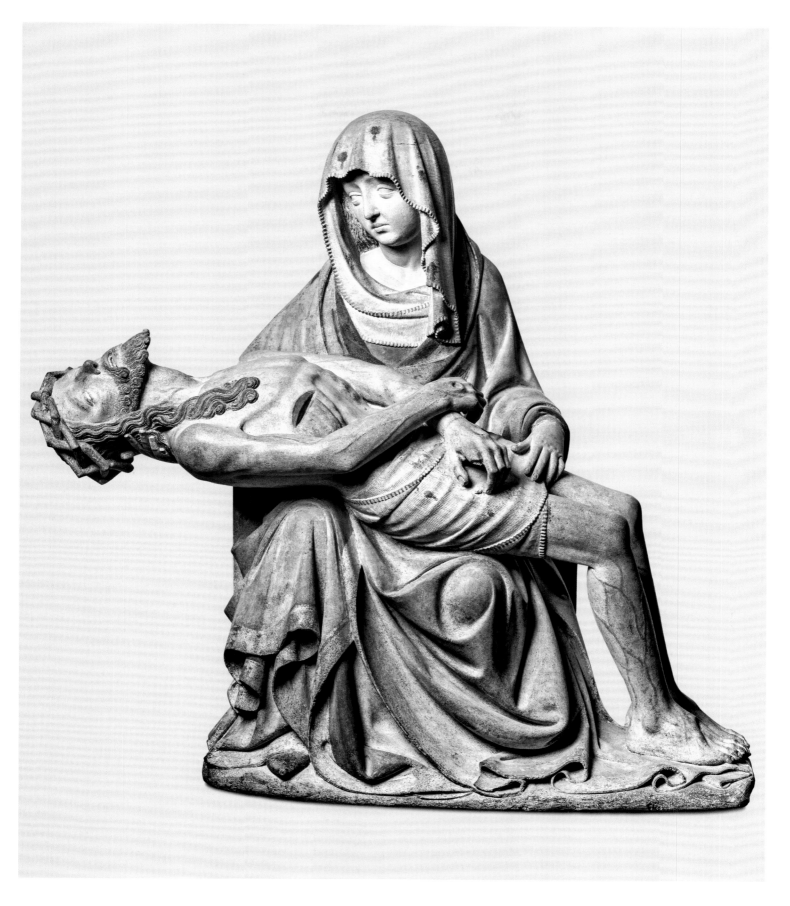

Fig. 18. Incisore tedesco, *Vesperbild*, 1440 circa, Vienna, Albertina

Cat. 8. Incisore tedesco, *Vesperbild*, 1450 circa, Londra, British Museum, Department of Prints & Drawings

Alle pagine seguenti

Cat. 6. Scultore tedesco, *Vesperbild*, 1420-1430 circa, Francoforte sul Meno, Liebieghaus Skulpturensammlung

Cat. 6. Particolare

L'evoluzione di quest'iconografia in scultura passa anche attraverso l'impiego di differenti materiali, oltre il legno, la pietra calcarea e il gesso duro, in base alle nuove evoluzioni e innovazioni tecniche. A Nord delle Alpi, e in particolare nell'alta Svevia, compaiono – tra anni Venti e Trenta del Quattrocento – statue di *Schöne Vesperbilder* in terracotta policroma, come l'esemplare ben conservato oggi alla Liebieghaus di Francoforte (cat. 6), ma proveniente da Steinberg, nei pressi di Ulma, dove probabilmente è stato anche prodotto.[54] Come dimostra quest'opera, la rinascita quattrocentesca della scultura in terracotta, già di origine antica e dimenticata nel corso del Medioevo, avviene su scala europea: Firenze ne è l'epicentro.[55] Nella statua della Liebieghaus, il volto elegantemente triste della Vergine ancora giovane, su cui si intravedono tracce della policromia originaria, è accompagnato da una variazione sul tema delle tre mani, con quella sinistra della Vergine che si insinua tra i due avambracci di Cristo, afferrandone il destro.

Nella stessa zona l'iconografia del *Vesperbild* compare, tra quarto e quinto decennio del Quattrocento, anche nelle prime illustrazioni xilografiche. Se si guarda ad esempio a una rara stampa su pergamena oggi all'Albertina di Vienna (fig. 18), è evidente che il modello stilistico è un *Vesperbild* – reso probabilmente in controparte – sul tipo di Steinberg.[56] Di simile impostazione è la poco più tarda xilografia acquerellata del British Museum (cat. 8), arricchita dal trono e dalla Croce, da cui pendono gli *arma Christi* (strumenti della Passione).[57] Queste stampe presentano tutti i tratti dello *Schönes Vesperbild*: dalla posa orizzontale del Cristo al trono gotico (come nella *Pietà* di Bologna, cat. 7), all'eleganza dei panneggi fino al gioco delle tre mani. Lo sviluppo tecnologico dei

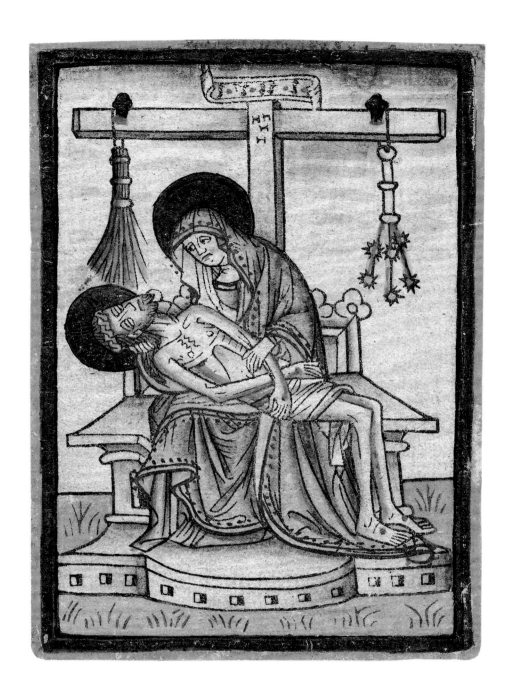

processi di stampa nel corso del Quattrocento ha sicuramente contribuito a un'ulteriore circolazione dell'iconografia in Europa.

Diverse geograficamente sono le dinamiche che, tra terzo e quarto decennio del Quattrocento, caratterizzano la produzione di *Vesperbilder* in alabastro del cosiddetto Maestro di Rimini, un gruppo stilistico costruito intorno al *Calvario* oggi alla Liebieghaus di Francoforte ma che fino all'inizio del Novecento era nel santuario francescano di Santa Maria delle Grazie sul colle di Covignano a Rimini.[58] Il nome convenzionale raggruppa, in alcuni casi pretestuosamente, opere accomunate dal materiale – alabastro – e dallo stile che, secondo alcuni, risentirebbe di una cultura fiamminga tra il Maestro di Flémalle (che si tende a identificare con Robert Campin) e Rogier van der Weyden.[59] Per l'identificazione del Maestro di Rimini è stato recentemente avanzato il nome di Gilles de Backere, un fiammingo documentato come «tailleur d'ymaiges d'albastre» a Bruges alla corte di Filippo il Buono.[60]

A Rimini, nell'insediamento francescano del Tempio Malatestiano, resta oggi la *Madonna dell'Acqua* (fig. 19), un piccolo *Vesperbild* in alabastro, la cui presenza in chiesa è documentata almeno dal 1563.[61] La composizione, con il Cristo orizzontale e il manto dai mille risvolti tardogotici, risente della tipologia dello *Schönes Vesperbild*.[62] Di dimensioni ed impostazione molto simili, ma di qualità ben più alta, è il gruppo oggi al Victoria and Albert Museum di Londra (cat. 3).[63] Il confronto con la *Madonna dell'Acqua* è utile per intuire quale fosse l'esatta posizione, lungo il fianco, del braccio destro di Cristo, oggi mutilo nell'esemplare di Londra, ma anche per comprendere l'aspetto seriale di questa produzione, che annovera diversi esemplari di *Vesperbilder* in alabastro – di qualità oscillante ma mai pari a quella del pezzo di Londra – oggi sparsi in tutto il mondo.[64] Una statua in alabastro riferibile alla cerchia del Maestro di Rimini ma di dimensioni ben maggiori è conservata al Musée du Louvre (cat. 4). Rispetto alla *Pietà* di Londra, il busto di Cristo non è rivolto verso l'osservatore ma è supino sulle ginocchia della Vergine, e il braccio destro è mollemente appoggiato sulle gambe. La più antica provenienza nota è dalla collezione della scrittrice Augustine Mathilde Victoire Bulteau (1860-1922), ospitata a Palazzo Dario a Venezia, ma purtroppo non si sa dove fosse in precedenza e quale sia stata la sua collocazione originaria.[65] Le dimensioni simili a quelle di uno *Schönes Vesperbild* porterebbero a pensare che il gruppo fosse destinato alla devozione pubblica, mentre gli esempi più raffinati e di piccole dimensioni, come quello di Londra, potrebbero essere stati prodotti per l'uso privato, come sembra confermare anche il grado di finitezza del retro. L'alabastro del Louvre presenta inoltre un'usura localizzata nelle parti rivolte verso l'alto che fa intuire un'esposizione alle intemperie in un punto imprecisato della sua storia.

Un perno per la cronologia del Maestro di Rimini è il documento con cui «Jodocus», abate agostiniano di Sandkloster a Breslavia, acquista nel 1431 a Parigi un gruppo in alabastro con una *Crocifissione*, di cui sopravvivono solo le *Marie dolenti* oggi al Muzeum Narodowe di Varsavia (fig. 20).[66] Stando alle parole dell'atto, al centro della compravendita era una «imaginem crucifixi sculptam Parysiis in montanis»: un riferimento al contesto parigino che l'identificazione del Maestro di Rimini in Gilles de Backere non consente ancora di spiegare in maniera soddisfacente.[67] Le affinità stilistiche e qualitative tra le *Marie* e il *Vesperbild* del Victoria and Albert (cat. 3) – basti guardare all'identica conformazione e qualità delle pieghe dei panneggi in basso – consentono di ancorare l'esecuzione di quest'ultimo intorno al 1430. Un dettaglio stupefacente, a rimarcare la

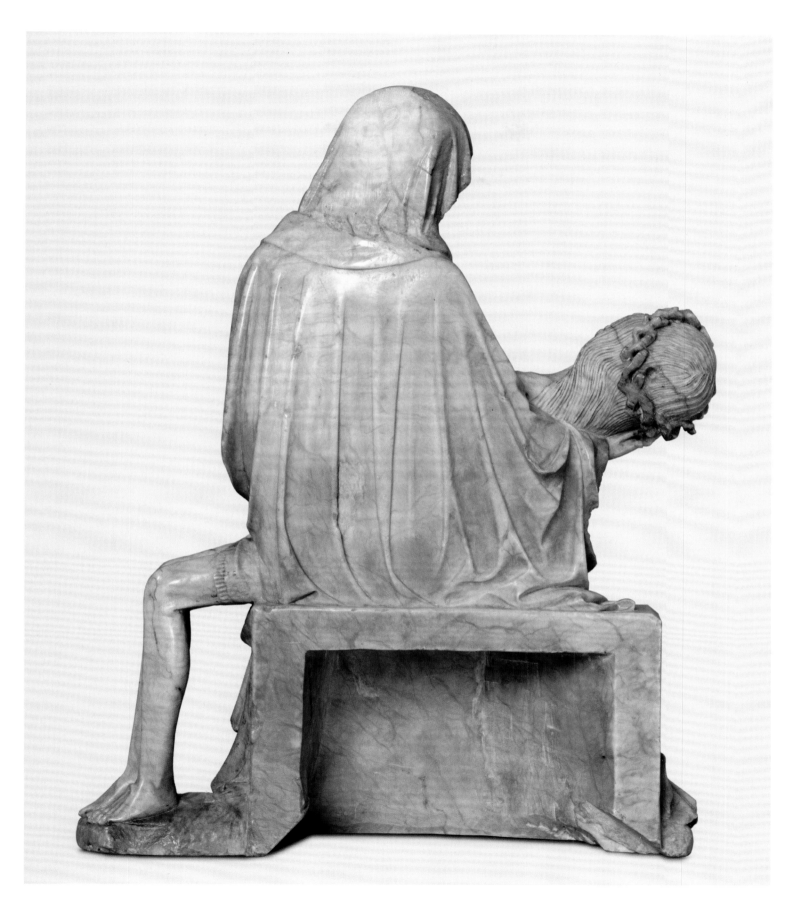

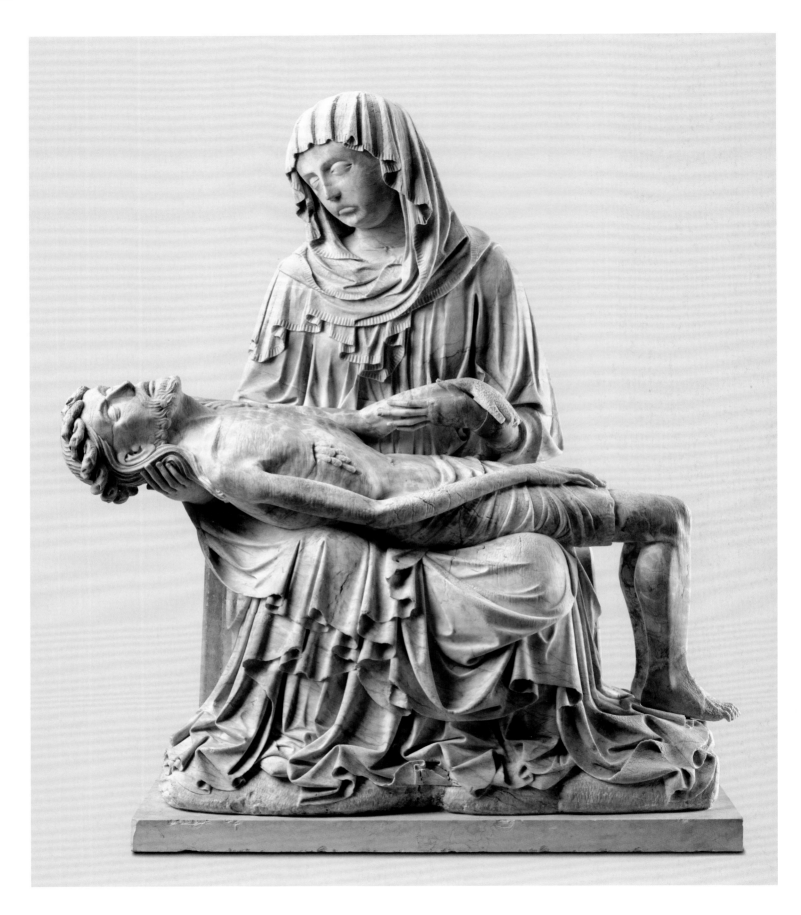

Alle pagine precedenti

Cat. 4. Cerchia del Maestro
di Rimini, *Vesperbild*, 1430
circa, Parigi, Musée du Louvre,
Département des Sculptures

Cat. 4. Particolare

Fig. 20. Maestro di Rimini, *Marie
dolenti*, 1430 circa, Varsavia,
Muzeum Narodowe

Cat. 5. Miniatore parigino,
Compianto su Cristo morto,
1425-1450 circa, in *Officium Beatae
Mariae*, Milano, Archivio Storico
Civico e Biblioteca Trivulziana

uc regina celorum
mater regis ange
lorum o maria flos
virginum velut ro

qualità del pezzo di Varsavia, è costituito dalle mani delle due Marie intersecate e avvolte dall'ampio manto della Vergine. Il caso del Maestro di Rimini dimostra che a queste date la produzione di *Vesperbilder* scultorei non è prerogativa della sola area germanica, ma anche della zona tra Fiandre, Francia settentrionale e Borgogna, dove forse ha operato l'anonimo maestro.

La circolazione dell'iconografia della Pietà viaggia anche attraverso oggetti piccoli e preziosi come i codici miniati: un esempio di alta qualità è il manoscritto 2164 della Biblioteca Trivulziana di Milano (cat. 5), un libro d'ore decorato a Parigi nel secondo quarto del Quattrocento. Al foglio 187, l'antifona mariana «Ave Regina coelorum» è sormontata da un *Compianto* in cui, al centro, la Vergine assisa ai piedi della Croce con il Cristo morto sulle ginocchia assume le caratteristiche di un *Vesperbild*. Attorno, completano la scena San Giovanni Evangelista, che sostiene il busto di Cristo con entrambe le mani avvolte dal sudario – un po' come avveniva nell'alabastro con le *Marie* (fig. 20) –, mentre a sinistra, in basso, la Maddalena bacia i piedi straziati e sopra di lei lo stesso fa Maria di Cleofa con la mano destra di Gesù. Intorno, nella cornice floreale, quattro angeli recano gli strumenti della Passione, che compaiono anche intorno alla Croce. Il manoscritto è stato riferito su base stilistica al Maestro della Leggenda Aurea di Monaco, per cui sono state anche indicate influenze tedesche, ma anche al Maestro di Bedford, entrambi attivi nel contesto parigino di primo Quattrocento.[68]

Il *Vesperbild* arricchito di figure dolenti ai piedi della Croce è definito *Vielfiguriges Vesperbild* (Pietà a più figure): una tipologia ibrida di lunga fortuna perché avrebbe permesso di adattare la Pietà a una sequenza narrativa serrata delle scene della Passione di Cristo. Il *Vesperbild* trova qui infatti un compromesso iconografico con ciò che segue la Deposizione dalla Croce.

Questa tipologia ricorre in cicli con diversi episodi della Passione, come testimoniato dal grandioso altare dell'abbazia di Klosterneuburg, alle porte di Vienna, opera di Nicolas de Verdun del 1181 circa, ma che nel 1331, subito dopo un incendio, è rifatto mimeticamente in alcune parti da un altro maestro, compresa la placca smaltata con il *Compianto* (fig. 21).[69] Qui, il corpo di Cristo è deposto sulle ginocchia della Madre e si distende in orizzontale per essere sostenuto alle sue estremità dalle altre due Marie, mentre in secondo piano assiste alla scena San Giovanni con il Vangelo in mano.

La stessa formula del *Vielfiguriges Vesperbild* – con il corpo di Cristo allungato in orizzontale e sostenuto dalla sequenza dei dolenti – ricorre anche nel cantiere internazionale dei primi anni del Duomo di Milano per opera di Hans Fernach, uno scultore tedesco documentato nella fabbrica tra il 1387 e il 1395 (fig. 22).[70] Sopra il portale d'accesso alla sagrestia meridionale sta la lunetta con la *Madonna con il Bambino tra San Giovanni Battista e Sant'Andrea*, e sotto si dispiega la scena con al centro un *Vesperbild* secondo modalità molto simili a quelle di Klosterneuburg, tranne il San Giovanni che regge la testa e i due angeli in alto con i libri aperti. La portata della composizione di Fernach non va sottovalutata.[71]

2. La *Pietà* diventa italiana

Fig. 22. Hans Fernach, *Compianto su Cristo morto*, 1390-1395 circa, Milano, Duomo

Si è visto che le prime *Pietà* italiane sono state in pittura e confinate tra settimo e ottavo decennio del Trecento, senza apparentemente una continuità nei decenni successivi, nonostante l'ampia diffusione nella Penisola di esemplari d'importazione. Per avere un'ondata di ricezione italiana del *Vesperbild* come schema con Cristo e la Vergine isolati bisognerà aspettare la metà del Quattrocento. Esiste tuttavia un caso precoce, e notevolissimo per qualità, di *Vielfiguriges Vesperbild* in scultura per mano di un artista italiano: il gruppo ligneo per l'altare del Crocifisso nel Duomo di Siena (fig. 23). Il 29 gennaio 1421 Alberto di Betto d'Assisi s'impegna a consegnare entro tre mesi le quattro figure di un *Compianto*: garante è Jacopo della Quercia.[72] Non si sa quasi nulla di questo scultore, ma è stato proposto convincentemente che possa essere l'«Alberto da Assisi» che nel 1414 è pagato per aver scolpito un doccione del Duomo di Milano.[73] Se così fosse, diventerebbe significativa la stretta parentela compositiva con il *Compianto* di Fernach appena discusso (fig. 22), con Cristo disposto in orizzontale e «stirato» da San Giovanni e dalla Maddalena. Il rigore gotico e tagliente dello scultore tedesco è arrotondato nel gruppo senese da un'evidente influenza di Jacopo della Quercia. Lo scultore, nato ad Assisi, forse attivo nel Duomo di Milano e poi a Siena, tutti luoghi aperti a maestranze internazionali, costituisce il primo caso di sintesi compiuta tra iconografia nordica e linguaggio protorinascimentale italiano.

Sempre a Siena, e sempre per il Duomo, qualche anno dopo è dipinto il *Compianto*, oggi nelle collezioni del Monte dei Paschi (cat. 9).[74] Ai piedi della Croce, la Vergine

dolente ospita in grembo il busto del Figlio, le cui gambe scivolano in basso per finire sul manto del committente, che lo osserva con il rosario in mano dallo stesso punto di vista della Madonna. Soprintende la scena il patrono di Norimberga, San Sinibaldo. Grazie agli stemmi in primo piano, è possibile identificare il devoto in preghiera con il nobile norimberghese Peter Volckamer, sceso in Italia al seguito dell'imperatore Sigismondo e morto a Siena il 5 settembre 1432, per poi essere sepolto nel Duomo.[75] La tavola sarebbe stata dipinta come *Epitaphbild* dopo la morte del committente da un pittore senese, il Maestro dell'Osservanza, spesso identificato nel giovane Sano di Pietro.[76] Come nel caso della tavola di Simone dei Crocifissi (cat. 2), l'impiego dell'iconografia si lega strettamente alle volontà di un personaggio d'Oltralpe e ad un contesto di tipo funerario. La presenza del Volckamer e di San Sinibaldo in preghiera davanti alla Pietà – entrambi infatti tengono in mano il rosario – costituisce una variante curiosa rispetto all'assetto canonico del *Vielfiguriges Vesperbild*: è come se, invece di partecipare attivamente al dramma in corso, ne stessero contemplando in modo distaccato l'immagine. Proprio a nord delle Alpi si ritrova un parallelo compositivo in un dipinto oggi alla Frick Collection (fig. 24), che deriva dalla smagliante tavola vicina a Konrad Witz, talvolta attribuita al fratello Hans, e conservata nella stessa istituzione: rispetto al modello, il copista aggiunge sulla destra, in prossimità del sepolcro aperto, il committente munito di rosario e in adorazione, un elemento che porterebbe a pensare che anche in questo caso ci si trovi di fronte a un *Epitaphbild*.[77]

Fig. 23. Alberto di Betto d'Assisi, *Compianto su Cristo morto*, 1421, Siena, Duomo

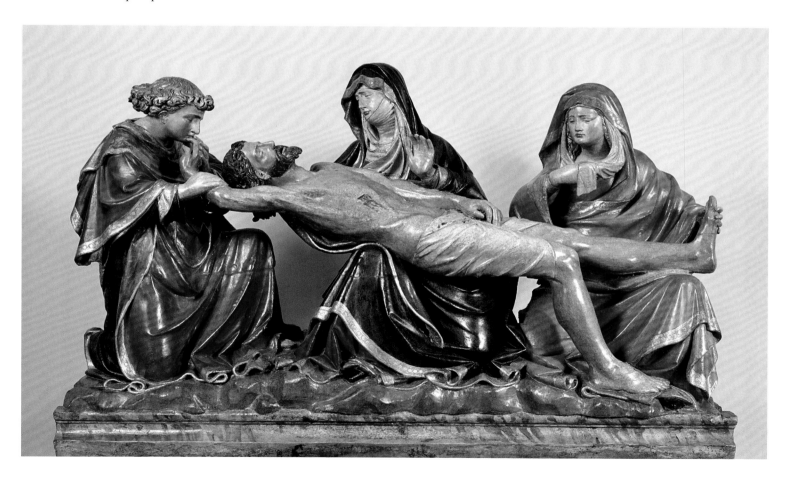

Di carattere funerario è anche l'affresco riportato su tela con il *Compianto* di Lorenzo di Pietro, detto il Vecchietta, oggi nel Museo Diocesano di Siena, ma proveniente dalla cappella sepolcrale dei Martinozzi nella chiesa di San Francesco (fig. 25).[78] La datazione del dipinto del Vecchietta è assestata intorno al 1448, e la dipendenza dal modello intagliato di Alberto di Betto risulta evidente dalla composizione delle quattro figure principali. Un'ascendenza donatelliana è stata riscontrata nella cifra espressionistica dell'insieme, e in particolar modo nel corpo arcuato di Cristo, con il braccio penzolante oggi non più visibile, e nelle Marie dolenti.[79] La precoce ammirazione per Donatello da parte del Vecchietta si esprime anche in scultura: nello stesso giro d'anni – forse addirittura prima – infatti intaglia, in legno di noce, la *Pietà* oggi al Museo Diocesano di Siena (cat. 10), trasponendo il soggetto, pur senza dolenti, in un rilievo a tutto tondo. Nella scultura del Rinascimento italiano l'episodio si assesta tra le più antiche interpretazioni superstiti del *Vesperbild* puro.[80] «Chi altri se non Donatello può essere la fonte per la patetica intonazione del volto di Cristo, per la naturalezza del suo corpo, della sua pelle trepida e sottile sotto cui sembrano premere – non ancora fermate dal rigore della morte – i tendini e le vene gonfie di sangue del collo e delle gambe».[81] Il corpo di Cristo s'inarca e la forza di gravità agisce in modo naturale sulla testa, buttata

Fig. 25. Lorenzo di Pietro detto il Vecchietta, *Compianto su Cristo morto*, 1448 circa, Siena, Museo Diocesano

Fig. 26. Arte romana, *Trasporto del corpo di Meleagro* (particolare), fine del II secolo d. C., ubicazione ignota

Cat. 10. Lorenzo di Pietro detto il Vecchietta, *Pietà*, 1445 circa, Siena, Museo Diocesano

all'indietro, e sul braccio destro, che ricade fino a toccare terra. Nonostante non manchino *Vesperbilder* nordici più antichi con il braccio cadente, è evidente che qui agisce ormai un modo nuovo d'intendere il corpo umano, la natura e i modelli antichi. Vale la pena, a questo proposito, rievocare il celebre passo del *De pictura* di Leon Battista Alberti (1435) in cui la descrizione di un sarcofago romano con la morte di Meleagro, recentemente identificato (fig. 26), diventa precetto – agli occhi degli artisti contemporanei – per la rappresentazione di corpi inerti:

Lodasi una storia in Roma nella quale Meleagro morto, portato, aggrava quelli che portano il peso, e in sé pare in ogni suo membro ben morto: ogni cosa pende, mani, dito e capo; ogni cosa cade languido; ciò che ve si dà ad esprimere uno corpo morto, qual cosa certo è difficilissima, però che in uno corpo chi saprà fingere ciascuno membro ozioso, sarà ottimo artefice.[82]

Riflessioni come questa, mettendo al centro il potenziale mimetico dell'arte antica, indirizzano lo sguardo di chi, nel contesto italiano, da questo momento in avanti, desidera misurarsi con un'iconografia nordica come il *Vesperbild*.

Fabio Chigi riporta, tra il 1625 e il 1626, l'iscrizione che corredava forse un basamento perduto della *Pietà* del Vecchietta, dove si leggeva: «Hoc opus fecit Laurentius dictus Vecchietto pro sua devotione».[83] L'artista aveva utilizzato la stessa formula, che sembra far riferimento a un *ex voto* personale, in almeno altre due opere, un dipinto (*Madonna con Santi*) e una scultura (*Uomo dei dolori*), destinate alla sua cappella funebre nella chiesa della Santissima Annunziata nello Spedale di Santa Maria della Scala.[84] Un'altra caratteristica che contribuisce a rendere unica l'interpretazione del *Vesperbild* del Vecchietta è la presenza del serpente con testa di donna che è schiacciato dai piedi di Cristo morto: l'allusione è alla redenzione dal peccato originale permessa dal sacrificio di Gesù. Nell'opera del Vecchietta questo elemento ricorre identico nell'*Uomo dei dolori*, anche quello, come si accennava, eseguito «pro sua devotione», esattamente come le ultime *Pietà* di Michelangelo (cfr. figg. 2-3 a pp. 12-13).

Qualche decennio dopo, in area umbra, il *Vesperbild* è utilizzato in pittura anche come immagine per gonfaloni. Un esempio è la *Pietà tra San Gerolamo e Santa Maria Maddalena* (cat. 11), oggi a Perugia, nella Galleria Nazionale dell'Umbria, ma fino al 1863 presso il convento francescano della Santissima Pietà di Farneto, tra Perugia e Gubbio, una zona ricca di *Pietà* quattrocentesche.[85] In tal senso non va dimenticata la forte presenza francescana in Umbria. L'ordine dei frati minori è stato infatti determinante per alcune ricorrenze del *Vesperbild* sul suolo italiano (cfr. fig. 19; cat. 19). Il gonfalone è un'opera della giovinezza di Pietro Perugino, perfettamente coerente dal punto di vista stilistico con le parti di sua mano nelle *Storie di San Bernardino* del 1473, anch'esse conservate nella Galleria Nazionale dell'Umbria.[86] Questo dipinto è una variante sul tema della Pietà a più figure: tuttavia, mentre la Maddalena è una presenza consueta, San Gerolamo vestito di bianco va a sostituire, anacronisticamente, il San Giovanni Evangelista. Lo scenario non è più ai piedi della Croce o in prossimità del sepolcro, ma è una gola rocciosa che si apre, al centro, su un paesaggio profondo. La Vergine siede su un rialzo naturale di roccia che ritornerà, molto simile, nella *Pietà* vaticana di Michelangelo. Il *Vesperbild* si svincola qui da esigenze narrative e si piega alle inclinazioni stilistiche ed espressive dell'artista. Nelle figure in primo piano l'influenza del Verrocchio è molto forte, e in particolare nelle «pieghe al di sotto della cintura della Maddalena a destra» che «più che cadere sembrano sostenerla come degli sproni, per poi distendersi piatte a terra, con una bellissima idea quasi architettonica».[87] Nell'ampio e profondo paesaggio sono invece evidenti i riflessi della presenza, all'interno della stessa bottega verrocchiesca, di Leonardo, che proprio nel 1473 disegna la celebre veduta della valle dell'Arno, oggi a Firenze, al Gabinetto Disegni e Stampe degli Uffizi.[88] Nel giro di un ventennio il Perugino, oramai all'apice della carriera, ritorna sul tema nella tavola eseguita per il convento gesuato di San Giusto a Firenze, oggi agli Uffizi (fig. 27).[89] L'allontanamento dalle asperità verrocchiesche in direzione protoclassica caratterizza le vicende artistiche a Firenze nell'arco del primo ventennio di vita di Michelangelo, nato nel 1475. Sul finire del secolo si assiste a Firenze e dintorni al proliferare di gruppi in terracotta policroma e anche invetriata con composizioni simili a quella peruginesca.[90]

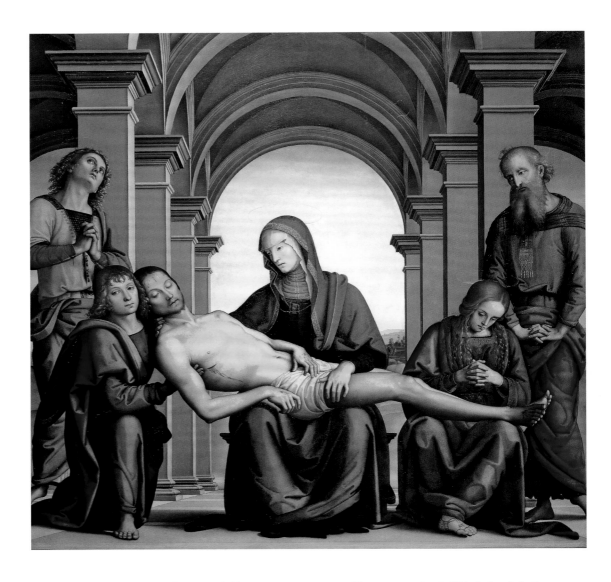

Fig. 27. Pietro Vannucci detto il Perugino, *Compianto su Cristo morto*, 1493-1494 circa, Firenze, Galleria degli Uffizi

Cat. 11. Pietro Vannucci detto il Perugino, *Pietà tra San Gerolamo e Santa Maria Maddalena*, 1473 circa, Perugia, Galleria Nazionale dell'Umbria

In verità, a Firenze il tema della Pietà era stato affrontato già dall'inizio del Quattrocento, come testimonia la terracotta di Dello Delli con «un Cristo morto in grembo alla Vergine» che, stando a Giorgio Vasari, ornava uno degli altari della chiesa servita della Santissima Annunziata.[91] Il biografo aretino l'annovera tra «le prime opere sue», e quindi probabilmente entro la metà degli anni Venti del Quattrocento, come sembra di intuire dai pochi dati documentari noti. La terracotta della Santissima Annunziata sarebbe stata quindi un perfetto parallelo del gruppo del 1421 di Alberto di Betto a Siena (fig. 23): entrambe precoci interpretazioni italiane del *Vesperbild*.[92]

Un altro polo di appropriazione rinascimentale del *Vesperbild* è Venezia, da sempre aperta a influenze e presenze nordiche.[93] In pittura, Giovanni Bellini dagli anni Cinquanta in poi ha portato avanti le sue ricerche sui temi della Madonna con il Bambino e, in parallelo, della Pietà in tutte le sue varianti iconografiche: dall'*Imago Pietatis* alla *Engelspietà* (Cristo morto sorretto dagli angeli).[94] Intorno al 1470 Bellini elabora una soluzione di compromesso compositivo: nella *Madonna con il Bambino dormiente* (cat. 12), cosiddetta della Milizia da Mar, ibrida una tipologia di Madonna in trono con il Bambino sulle ginocchia – già in voga a Venezia, e spesso al centro di polittici scolpiti e dipinti – con

Fig. 28. Giovanni Bellini, *Pietà*, 1495 circa, Venezia, Gallerie dell'Accademia

Cat. 12. Giovanni Bellini, *Madonna con il Bambino dormiente*, 1470 circa, Venezia, Gallerie dell'Accademia

il *Vesperbild*. Ne è chiara prova la maturità del corpo del Bambino, che lo fa sembrare quasi un adulto in miniatura, e la posizione della testa, riversa all'indietro, del braccio pendente, dei piedini accavallati come sulla Croce: sono tutti espedienti che fanno percepire allo spettatore l'immagine come una prefigurazione della Pietà.[95] Non si conosce purtroppo la collocazione originaria della tavola, ma la sua provenienza da Palazzo Ducale, e in particolare dal Collegio della Milizia da Mar, un istituto cinquecentesco, porterebbe a immaginare una destinazione pubblica proprio all'interno dello stesso edificio.

Giovanni Bellini si misura con il *Vesperbild* puro solo in un'occasione, nel pieno degli anni Novanta del Quattrocento: la *Pietà* Donà dalle Rose delle Gallerie dell'Accademia di Venezia (fig. 28).[96] Una Vergine ormai anziana siede, come una Madonna dell'umiltà, per terra in un ampio paesaggio con una città sullo sfondo, identificabile in Vicenza per alcuni famosi edifici raffigurati. Le fasce cromatiche dei verdi e dei marroni del prato s'incrociano con le tonalità plumbee del manto, mentre la massa compatta dei capelli di Cristo cade formando un cono d'ombra. La fusione del tema nordico con la pittura di paesaggio veneziana trasforma quest'opera in un modello insuperabile che tuttavia

Fig. 29. Vittore Carpaccio, *Cristo morto*, 1485 circa, Berlino, Staatliche Museen, Kupferstichkabinett

Cat. 14. Vittore Carpaccio, *Pietà*, 1485 circa, collezione privata

non avrà un seguito paragonabile al coevo, e tanto diverso, gruppo scultoreo miche-langiolesco, più visibile del dipinto di Bellini, destinato probabilmente alla devozione privata. L'ambientazione dell'evento sacro in un paesaggio verosimile e contemporaneo favorisce l'immedesimazione di chi osserva e prega. L'intensità dell'immagine è inoltre accentuata dall'assenza di elementi narrativi come la Croce o il sepolcro: è una madre che piange il figlio morto in campagna.

Nel contesto della pittura veneziana era già stato proposto da qualche tempo l'espe-diente della *Pietà* immersa nel paesaggio, come testimonia una tavoletta di collezione privata già attribuita a Giovanni Bellini ma oggi convincentemente restituita al giovane Vittore Carpaccio (cat. 14).[97] L'attribuzione si fonda anche sul confronto con il *Cristo morto* del Kupferstichkabinett di Berlino (fig. 29), uno studio di figura esanime, pensata come su una pietra e non sulle ginocchia della Madonna.[98] Gli elementi narrativi del Cal-vario e delle Marie al sepolcro sono confinati in dettagli quasi miniaturistici sul fondale, e i due protagonisti sono collocati diagonalmente, con la testa di Gesù e i suoi capelli sciolti sul primissimo piano a sinistra e i piedi che si perdono in profondità a destra. Pur in assenza di cornici prospettiche, l'aggetto delle figure restituisce un senso di rilievo spaziale quasi scultoreo. La tavoletta è servita per spiegare la portata della contempora-nea cultura figurativa ferrarese nella fase giovanile di Carpaccio, lungo gli anni Ottanta del Quattrocento, e in particolare di Ercole de' Roberti, un altro grande interprete ita-liano del *Vesperbild* che si incontrerà a breve.[99]

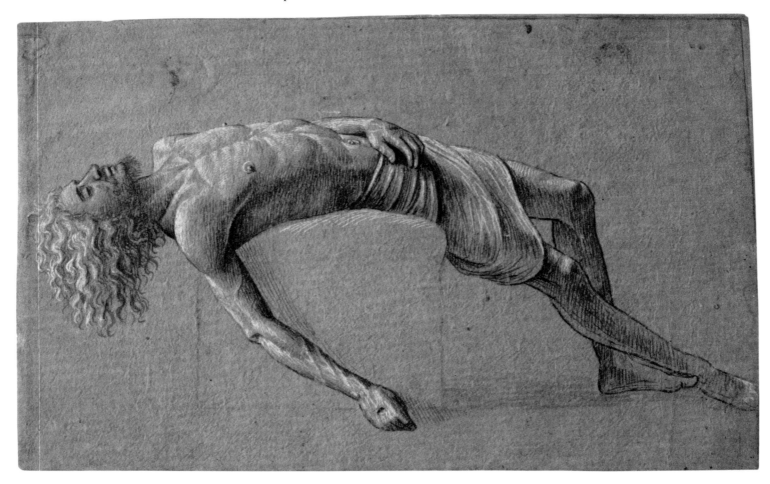

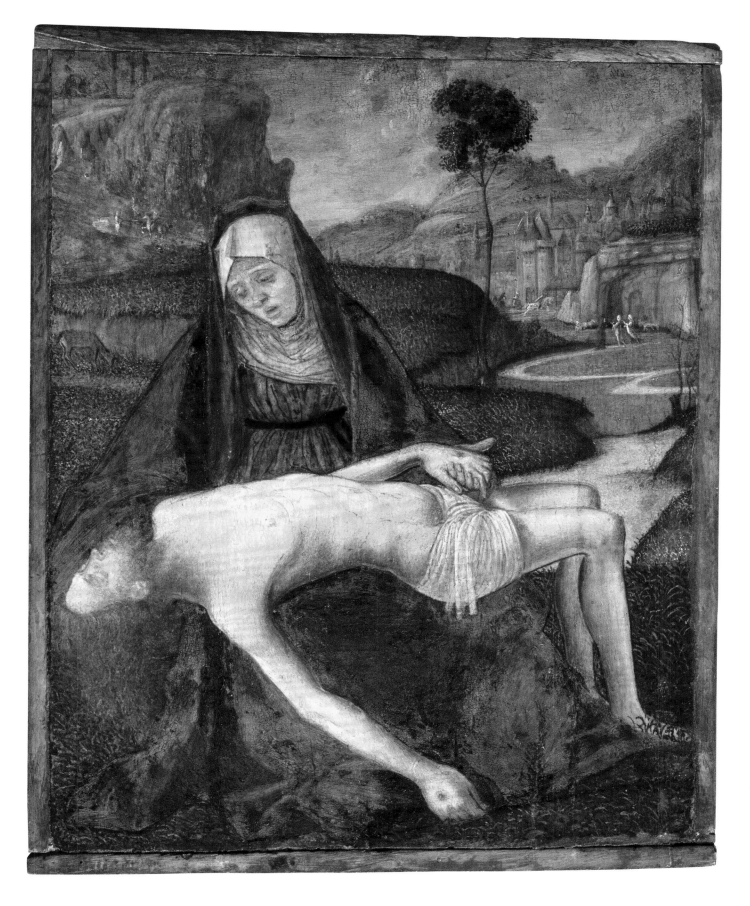

Cat. 15. Particolare

Cat. 15. Pietro Lombardo (?), *Pietà*, 1490 circa, Londra, Victoria and Albert Museum

A lungo riferito all'ambito ferrarese del terzo quarto del Quattrocento è l'altorilievo bronzeo oggi al Victoria and Albert Museum di Londra (cat. 15).[100] La recente attribuzione, pur dubitativa, a Pietro Lombardo o al suo ambito, pare molto più convincente, e in effetti sono numerosi i rimandi alla scultura tra Venezia e Padova a cavallo tra Quattro e Cinquecento.[101] Rispetto alle raffigurazioni consuete del *Vesperbild*, sono presenti due angioletti dolenti che fluttuano su nuvolette ai lati della Vergine e presentano ancora tracce di doratura sulle ali. Il corpo di Cristo sembra scivolare al di qua dello spazio scolpito, con la testa, la mano abbandonata e il piede destro che, insieme al manto della Vergine, sbordano fuori dalla cornice: tutti espedienti illusionistici di matrice donatelliana. L'invenzione e la composizione dialogano con il dipinto di Carpaccio, pressoché coevo. Sin dall'acquisto nel 1859 da parte del museo, il rilievo è stato ritenuto una portella di ciborio o di tabernacolo, una funzione che difficilmente trova riscontri nell'aspetto fisico dell'oggetto, non adatto per peso, forma aggettante e struttura. Piuttosto, bisognerà immaginarlo incassato in un impianto articolato come un altare o un sepolcro. Alcuni dettagli non perfettamente rifiniti, come per esempio il lato destro del volto della Vergine o il polpaccio destro di Cristo, fanno ipotizzare che fosse concepito per una visione a distanza, e non per essere mosso come un'anta (e dunque osservato da più punti di vista) o per una fruizione ravvicinata. Non è detto che lo scultore del bronzo nell'affrontare l'iconografia nordica non avesse ricevuto suggestioni da fonti a stampa come un bulino del Maestro ES che affronteremo tra poco (cat. 17).

Si è visto che nell'entroterra veneto la diffusione dei *Vesperbilder* è documentata sin dal primo Quattrocento, e l'intensità del culto verso alcune di queste immagini scultoree ha echi nella tradizione pittorica di fine secolo.[102] È il caso del santuario di Monte Berico,

Fig. 30. Tommaso Piroli e Gian Giacomo Machiavelli (da anonimo pittore veneto-cretese), *Pietà* (da Jean-Baptiste-Louis-Georges Seroux d'Agincourt, *Histoire de l'art par les monumens*, V, Paris, Treuttel et Wurtz, 1823)

Cat. 13. Gerolamo da Treviso il vecchio, *Pietà*, 1495-1497 circa, Lovere, Galleria dell'Accademia Tadini

nei pressi di Vicenza, dove il *Vesperbild* trova alte interpretazioni in pittura nell'affresco con la *Pietà* e nella tavola con la *Pietà tra San Giuseppe, San Giovanni Evangelista e la Maddalena* di Bartolomeo Montagna.[103] Anche Treviso, ricca di presenze d'Oltralpe *ab antiquo* (fig. 12), è scenario di riprese pittoriche del *Vesperbild*: Gerolamo da Treviso il vecchio, tra i più rappresentativi pittori del panorama locale, si esercita sul tema sul finire della carriera, entro il 1497, anno della sua morte, nella tavola oggi all'Accademia Tadini di Lovere (cat. 13).[104] Un aspetto inconsueto di quest'opera consiste nel ribaltamento della composizione rispetto alla maggior parte dei *Vesperbilder*, dove la testa di Cristo è a sinistra rispetto al nostro punto di vista. La Madonna siede sul sarcofago, posto in diagonale, e a sinistra sorge il Calvario deserto. Sullo sfondo si erge una collina con una cittadella murata che potrebbe ricordare una delle tante sparse per il Veneto, come Soave o Marostica.

Altri usi del *Vesperbild*
L'iconografia del *Vesperbild* è utilizzata in Italia anche in modi inaspettati e in contesti poco canonici. Proprio in Veneto, per esempio, incontra un certo successo la produzione seriale di *Pietà* in forme tipicamente bizantine da parte dei cosiddetti madonneri attivi tra Creta e Venezia, come testimoniano due tavole dei musei di Padova e di Vicenza.[105] Non si conosce invece l'ubicazione del *Vesperbild* bizantineggiante riprodotto tra le illustrazioni dell'*Histoire de l'art* di Seroux d'Agincourt (fig. 30).[106] L'iconografia nordica si fissa così nella forma dell'icona.

Fig. 31. Ambito di Matteo di Ser
Cambio, *Lamento di Ecuba sui figli
morti*, 1387, in Seneca, *Tragoediae*,
Milano, Biblioteca Ambrosiana

Fig. 32. Bottega degli Embriachi,
*Compianto di Tisbe sul corpo
di Piramo*, 1400 circa, Londra,
Victoria and Albert Museum

Già in tempi precoci lo schema del *Vesperbild* era stato impiegato anche in raffigurazioni profane. Un caso significativo è offerto, alla data 1387, dalla miniatura che compare in un codice di tragedie senecane della Biblioteca Ambrosiana di Milano (fig. 31), probabilmente decorato a Perugia nell'ambito di Matteo di Ser Cambio.[107] Qui, davanti alla città di Troia in fiamme, il lamento di Ecuba sui figli morti è strutturato come una *Pietà* tedesca: un indizio in più per indagare i primi sentori dell'iconografia in territorio italiano. Un'occorrenza parallela è rappresentata da un cofanetto nuziale con intagli in osso della bottega degli Embriachi, attiva tra Firenze e Venezia tra Tre e Quattrocento, oggi conservato a Londra, al Victoria and Albert Museum.[108] Qui sono rappresentate scene della storia ovidiana di Piramo e Tisbe, tra cui il compianto di Tisbe sul corpo dell'amato all'ombra di un gelso (fig. 32), evidentemente ricalcato sul *Vesperbild*.[109]

Nell'ambito dell'oreficeria, un oggetto emblematico è la targa pendente a due lati del Museo Poldi Pezzoli di Milano (cat. 16), realizzata a Milano sullo scorcio del Quattrocento. Sul lato frontale, intorno a un *Vesperbild* in madreperla intagliata, sono eseguiti a smalto i simboli della Passione insieme agli schernitori.[110] Nella cornice sono presenti altre raffigurazioni, come l'*Annunciazione* e il *Battista*, a corollario della scena centrale. Sul retro, la *Resurrezione di Cristo* dichiara il senso ultimo dell'episodio sul fronte. Per comprendere l'uso antico di oggetti come questo bisogna ricordare il *ritmo* del poeta milanese Gaspare Visconti, vissuto alla fine del Quattrocento, intitolato: «Ad una pace da basiare ala messa, sculpta d'uno acto di figura, al quale i frati hanno posto nome pietate».[111] È stato affermato che la madreperla sia di fattura tedesca, non si sa se di importazione o se prodotta da botteghe attive a Milano, ed è stata avvicinata a modelli incisi tra Martin Schongauer e il Maestro ES.[112]

Una corrispondenza esatta tra l'intaglio di madreperla e le incisioni tedesche non si trova, ma che il Maestro ES si fosse misurato sul tema è provato da un suo raro bulino con il *Compianto* (cat. 17) dove, al centro della composizione, il corpo disarticolato e

inarcato di Cristo s'incastra nelle pieghe angolose dell'ampio manto della Vergine, mentre la testa riversa e ancora coronata di spine è sostenuta da San Giovanni Evangelista.[113] L'incisore è attivo tra il 1450 e il 1467, e il *Compianto* potrebbe non aver lasciato indifferenti gli artisti italiani: la stampa è stata infatti messa in rapporto con uno studio di *Pietà* di Michelangelo di molti anni dopo, la *Pietà* Warwick del British Museum di Londra (fig. 33), databile ai primi anni Trenta del Cinquecento.[114] D'altro canto, l'ammirazione di Michelangelo per la grafica tedesca, e in particolare per Martin Schongauer, è ben attestata dalle fonti, e in qualche misura è stata confermata dalla proposta come opera d'esordio del Buonarroti della tavola con le *Tentazioni di Sant'Antonio Abate* oggi al Kimbell Museum di Fort Worth.[115]

3. Verso Michelangelo

Al fine di rendere più solido il ponte tra la formulazione del Maestro ES e lo studio michelangiolesco va detto che in ambito italiano, negli anni Sessanta del Quattrocento, non mancano alcune ricorrenze di *Pietà* con caratteristiche espressive di ascendenza nordica: vale a dire con la Madonna seduta per terra con il ginocchio destro sollevato che fa inarcare il busto di Cristo, il cui braccio ricade come slogato dalla spalla. È il caso della *Pietà con San Francesco* di Francesco del Cossa del Musée Jacquemart-André di Parigi (cat. 19).[116] In un paesaggio lunare e livido, le tre figure occupano il primo piano con la presenza ingombrante di un gruppo scolpito. All'inedito dettaglio delle lacrime di Maria che colano sul busto di Cristo, si aggiunge la presenza di San Francesco in adorazione sulla destra, con ogni probabilità un criptoritratto di un committente appartenente all'ordine francescano. In questa tela orizzontale, prodotta nell'ambito dell'«Officina ferrarese», «l'immaginazione troppo personale del Tura si riforma in un naturalismo di tempra scultoria. Un'opera da non dispiacere a Donatello, a Niccolò dell'Arca e neppure a Michelangelo».[117] Quest'illuminante genealogia formale trova riscontri molto puntuali, che ora si tenterà di scomporre. È stato istituito infatti un parallelo tra la tela di Francesco del Cossa e il pressoché coevo affresco con la *Pietà* di Giovanni di Piamonte (fig. 35), all'interno del tempietto Rucellai progettato da Leon Battista Alberti in San Pancrazio a Firenze e concluso entro il 1467.[118] L'episodio è posto illusionisticamente in una lunetta con due tende che si scostano e rivelano la Vergine con Cristo morto. Dalle ferite sui piedi di Cristo scende un rivolo di sangue che bagna illusionisticamente la cornice architettonica dipinta. La qualità scultorea dell'affresco è figlia di suggestioni donatelliane, e «il modo di presentare il prezioso cadavere, così drammaticamente inarcato, le braccia abbandonate a terra, sembra ispirato alla 'Deposizione' di Donatello nei pulpiti di San Lorenzo e nel suo verismo fa apparire irrimediabilmente idealizzate tutte le altre composizioni dello stesso soggetto».[119] Il riferimento è alla lastra bronzea del pulpito della Passione in San Lorenzo a Firenze (fig. 34), una delle ultime opere di Donatello (morto nel 1466). Dietro a queste declinazioni del soggetto, e *in primis* su Donatello, agiscono pensieri come quelli restituiti dal celebre passo di Alberti sul sarcofago di Meleagro.[120]

Questa particolare versione del *Vesperbild*, messa a punto a cavallo dell'Appennino tosco-emiliano negli anni Sessanta del Quattrocento grazie alla contaminazione tra invenzioni incise d'Oltralpe e idee donatelliane, potrebbe avere costituito uno dei nuclei fondativi per le redazioni michelangiolesche del tema della *Pietà*: e qui si vorrebbe insistere sull'importanza che la cultura figurativa di matrice ferrarese ha avuto per Michelangelo nel periodo a monte della *Pietà* vaticana, alla luce del soggiorno bolognese seguito alla fuga dalla Firenze repubblicana, tra il 1494 e il 1495.

La *Pietà* di Cosmé Tura, oggi al Museo Correr di Venezia (cat. 20), pur essendo stata probabilmente dipinta intorno al 1460, e dunque solo qualche anno prima rispetto alla tela di Francesco del Cossa, ne è profondamente diversa.[121] Sembrerebbe recuperare infatti l'aspetto dei primi *Vesperbilder* lignei tedeschi, trascurando le mediazioni messe a punto nei decenni precedenti in territorio italiano. Come nella *Pietà* di Francoforte (cat. 1), il busto di Gesù è tenuto sollevato, il corpo è privo di peso e non si percepisce la forza di gravità; le proporzioni diminuite rispetto alla monumentale Vergine-trono fanno sembrare Cristo un manichino. Maria, seduta sul sarcofago all'antica scoperchiato,

avvicina al volto la mano esangue del figlio, come per baciarla. Sulla sinistra una scimmia si aggrappa ai rami di un melo: un'allusione non senza precedenti – come fosse un triste preludio della scena sottostante – all'albero del bene e del male e alla tentazione del diavolo nel paradiso terrestre.[122] Sullo sfondo, Nicodemo e Giuseppe d'Arimatea si allontanano dal Golgota con una lunga scala in spalla, mentre in cima al monte Calvario, «costruito a gironi come la montagna del Purgatorio dantesco», svettano le tre altissime croci che recano ancora i corpi dei ladroni.[123]

Si distingue dall'interpretazione di Tura, pur essendo stata concepita nello stesso contesto e condividendo il dettaglio del sarcofago-sedile, la *Pietà* su carta preparata in ocra rossa oggi al British Museum (cat. 18).[124] Il foglio, pur danneggiato, rivela qualità altissime e nell'uso magistrale della biacca restituisce un effetto notturno, visibile nei riverberi del lontano paesaggio sullo sfondo a destra. Nonostante i dubbi attributivi recenti, il disegno pare degno del sommo Ercole de' Roberti, che dipinge lo stesso soggetto in una tavoletta oggi alla Walker Art Gallery di Liverpool (fig. 36), ma originariamente in San Giovanni in Monte a Bologna, dove era sull'altare maggiore forse con la funzione di portella di tabernacolo.[125] Il rapporto tra disegno e dipinto è stringente ma non esatto al punto da considerare il foglio preparatorio per la tavola. Il primo, infatti, sembrerebbe precedente, in un momento di grande vicinanza tra Ercole e Del Cossa, e in particolare nel periodo di collaborazione tra i due a Bologna che va dal politico Griffoni, già in San Petronio e oggi disperso in tutto il mondo, al lavoro comune per la cappella Garganelli in San Pietro, un rapporto interrotto con la morte del secondo nel 1478. Al mondo di Del Cossa rimandano le pieghe scavate dei panneggi e la soluzione prospettica del piede sinistro della Vergine in scorcio, un dettaglio assente nel dipinto di Liverpool.[126] Un'altra differenza sostanziale sta nella temperatura espressiva, molto più accesa nel disegno, dove la Madonna allarga le braccia e urla scoprendo i denti, mentre una raffica di vento le solleva il velo, caratteristiche che trovano un parallelo perfetto nell'unico frammento superstite della cappella Garganelli: la *Testa della Maddalena* oggi alla Pinacoteca Nazionale di Bologna (fig. 38).[127]

È famoso il passo della *Graticola di Bologna* di Pietro Lamo del 1560 in cui si attribuisce a Michelangelo il seguente giudizio, quasi un distico, sulla cappella Garganelli: «questa capela che avete qua è una meza Roma de bontà».[128] La prova dell'ammirazione di Michelangelo per Del Cossa ed Ercole aumenta il peso delle *Pietà* appena esaminate come prodromi delle interpretazioni michelangiolesche del tema: d'altronde «la *Pietà* di San Pietro non si diminuisce affatto ammettendo una certa forza di precedente nelle *Pietà* di Ercole a Ferrara e a Bologna».[129] Stando infatti alla testimonianza di Giorgio Vasari nelle *Vite* del 1568, Michelangelo «è stato di una tenace e profonda memoria, che nel vedere le cose altrui una sol volta l'ha ritenute sì fattamente e servitosene in una maniera che nessuno se n'è mai quasi accorto; né ha mai fatto cosa nessuna delle sue che riscontri l'una con l'altra, perché si ricordava di tutto quello che aveva fatto».[130]

A monte delle invenzioni di Ercole agiscono i modelli espressivi di Niccolò dell'Arca, e in particolare il suo *Compianto* di Santa Maria della Vita, completato nel 1463, dove la Maddalena pare una sorella maggiore delle creature ercoliane (fig. 37).[131] Michelangelo arriva a Bologna solo pochi mesi dopo la morte di Niccolò, avvenuta nel marzo 1494.[132] Il contatto tra i due artisti che non si sono mai conosciuti avviene attraverso il lavoro all'arca di San Domenico nell'omonima chiesa di Bologna, incompiuto a causa

della scomparsa di Niccolò. Michelangelo prende in mano il progetto grazie all'intercessione di Giovan Francesco Aldrovandi, come testimoniato nel 1553 da Ascanio Condivi: «un giorno, menandolo per Bologna, lo condusse a veder l'arca di San Domenico nella chiesa dedicata al detto santo; dove mancando due figure di marmo, cioè un San Petronio e un angelo in ginocchioni con un candeliere in mano, domandando Michelagnolo se gli dava il cuore di farle e rispondendo di sì, fece che fusser date a fare a lui».[133] Per comprendere le due diverse personalità risulta emblematico il confronto tra i due angeli reggicero, uno di Niccolò dell'Arca (fig. 40) e l'altro di Michelangelo (fig. 41), posti l'uno di fronte all'altro proprio alla base dell'arca che dà il nome al più anziano dei due scultori.

Non sappiamo se Niccolò si sia mai misurato con il tema del *Vesperbild*. Nei Musei di Castel Sant'Angelo, a Roma, è conservata una scultura in terracotta policroma con la

Pietà (fig. 39), purtroppo non presente in mostra, che è stata in più occasioni ricondotta all'ambito dello scultore: un'ipotesi suggestiva e più che plausibile.[134] Il livello qualitativo però non è all'altezza di uno dei massimi scultori del Quattrocento. L'opera non ha la dinamicità del gruppo di Santa Maria della Vita e s'inserisce nel contesto stilistico della Bologna «ferrarese», come testimonia anche il rovello del panneggio a gorghi della Vergine. Certo è che partendo dal solo contesto bolognese non è possibile spiegare, pochi anni dopo, l'*exploit* di Michelangelo nella *Pietà* vaticana.

Fig. 39. Seguace di Niccolò dell'Arca, *Pietà*, 1490 circa, Roma, Castel Sant'Angelo

Lasciata Bologna sul finire del 1495, Michelangelo ritorna a Firenze, dove rimane alcuni mesi, per poi recarsi a Roma il 25 giugno 1496.[135] Il suo arrivo nell'Urbe avviene su invito – per tramite del banchiere fiorentino Jacopo Galli – del cardinale Raffaele Riario, nipote di papa Sisto IV, che era rimasto ammirato della capacità di imitazione dell'antico da parte del giovane scultore.[136] Riario, infatti, aveva acquistato come reperto archeologico un *Cupido dormiente*, per poi scoprire che si trattava di una scultura contemporanea, opera del Buonarroti. Il cardinale commissiona al suo nuovo protetto «di fare qualchosa di bello», per cui sarebbe stato utilizzato «uno pezo di marmo d'una figura del naturale». In circa un anno Michelangelo consegna il *Bacco* (fig. 43), oggi al Museo del Bargello di Firenze.[137] La statua però non incontra il gusto di Riario: nel 1506 è infatti ancora ricordata nella dimora di Jacopo Galli, che era servita da bottega e abitazione per i primi anni romani di Michelangelo.

È in questa cerchia che nasce la commissione della *Pietà* vaticana. Nel contratto menzionato al principio di questo scritto, in data 27 agosto 1498 proprio Galli fa da garante per la buona riuscita dell'impresa:

> promimetto al R.mo Monsignore che lo dicto Michelangelo farà la dicta opera infra uno anno, et sarà la più bella opera di marmo che sia hoge in Roma, et che maestro nisuno la faria megliore hoge. Et sic versa vice prometto al dicto Michelangelo che lo R.mo Cardinale la farà lo pagamento secundo che de sopra è scripto.[138]

Il committente dell'impresa è, come detto in precedenza, Jean Bilhères de Lagraulas, abate di Saint-Denis, presente a Roma come legato del re di Francia Carlo VIII fin dal 1491 e divenuto cardinale nel 1493. Bilhères voleva destinare la scultura alla sua cappella nella rotonda di Santa Petronilla, un edificio di età costantiniana demolito e incorporato nel braccio sinistro del transetto della nuova fabbrica bramantesca di San Pietro, come si vede dal dettaglio della bella pianta del 1590 tratta da un disegno di Tiberio Alfarano (fig. 42).[139]

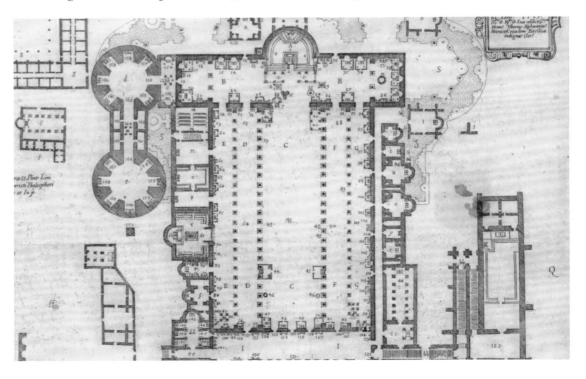

Fig. 43. Michelangelo Buonarroti, *Bacco*, 1496-1497, Firenze, Museo del Bargello

Fig. 44. Leonardo da Vinci, *Studio di panneggio*, 1475 circa, Parigi, Musée du Louvre, Département des arts graphiques

Fig. 45. Michelangelo Buonarroti, *Pietà*, 1497-1499, Città del Vaticano, Basilica di San Pietro

Santa Petronilla era patrocinata dai reali di Francia e Bilhères aveva previsto la propria sepoltura in questo spazio, ma non si conosce l'esatta collocazione dell'opera michelangiolesca, oggi nella prima cappella della navata destra della basilica di San Pietro (fig. 45) e presente nel percorso della mostra attraverso un bel calco del 1975 (cat. 22).[140] Nel figurare la «Vergene Maria vestita con Christo morto in braccio» Michelangelo ricorre alla tradizione del *Vesperbild*, che – come si è visto in più casi, per esempio nelle tavole di Simone dei Crocifissi (cat. 2) e del Maestro dell'Osservanza (cat. 9) – aveva assunto per i committenti una precisa connotazione in senso funerario e anche le *Pietà* successive avranno per il Buonarroti un simile significato. Inoltre, andrebbe tenuto in conto per la scelta dell'iconografia di origine nordica il fatto che il committente fosse d'Oltralpe. Bilhères muore il 6 agosto 1499, e non si è sicuri che abbia visto l'opera conclusa, dato che solo il 3 luglio 1500 Michelangelo riceve 232 ducati che probabilmente sono da intendere come saldo finale.[141]

Cat. 22. Laboratorio restauro marmi dei Musei Vaticani (da Michelangelo Buonarroti), *Pietà*, calco del 1975, Città del Vaticano, Musei Vaticani

La *Pietà* vaticana di Michelangelo si distingue nettamente da tutte le interpretazioni del *Vesperbild* finora incontrate per una serie di caratteristiche uniche. Lo scultore, le cui abilità nell'imitare l'antico erano – come si è visto nel caso del *Cupido* – già celebri, rilegge il tema di origine nordica in chiave antichizzante. Innanzitutto, la scelta del materiale, il marmo di Carrara, inedito per il *Vesperbild*, richiama subito la statuaria classica, così come la scala monumentale del gruppo. Si può affermare infatti che per dimensioni la *Pietà* vaticana non abbia precedenti, anche se l'altezza, circa 180 centimetri, coincide con quelle delle Pietà eroiche trecentesche, tuttavia assai più "magre" e verticali.[142]

Per garantire la qualità massima del marmo, dopo essersi reso conto che a Roma non sarebbe riuscito a trovare pezzi adatti, Michelangelo si era recato già nel corso del 1497 nelle cave di Carrara, e lì aveva passato molti mesi per scegliere un blocco «bianco et senza vene, machie et peli alcuni».[143] È la prima occorrenza di una pratica che si verificherà tante volte nel corso della vita dell'artista. L'impegno profuso nella realizzazione della statua è dimostrato anche dalla presenza della firma lungo la fascia che attraversa il busto della Vergine: un *unicum* nella carriera dello scultore.[144] Vasari registra «fra le cose belle [...] i panni divini suoi», e in effetti il manto della Vergine in primo piano non sfigura affatto di fronte agli studi di panneggio su lino di Leonardo, eseguiti a stretto contatto con Andrea del Verrocchio nella Firenze degli anni intorno alla nascita di Michelangelo (fig. 44).[145]

Il corpo di Cristo non è più quello straziato e in alcuni casi rattrappito delle *Pietà* tedesche, ma è «grande quanto sia uno homo justo», come da contratto, e, sempre stando a Vasari:

tanto ben ricerco di muscoli, vene, nerbi sopra l'ossatura di quel corpo, né ancora un morto più simile al morto di quello. Quivi è dolcissima aria di testa, et una concordanza nelle appiccicature e congiunture delle braccia e in quelle del corpo e delle gambe, i polsi e le vene lavorate, che in vero si maraviglia lo stupore che mano d'artefice abbia potuto sì divinamente e propriamente fare in pochissimo tempo cosa sì mirabile: che certo è un miracolo che un sasso, da principio senza forma nessuna, si sia mai ridotto a quella perfezzione che la natura a fatica suol formar nella carne.[146]

La perfezione anatomica del Cristo, anche questa una caratteristica mai prima d'ora presente in un *Vesperbild*, deriva – come attestano le fonti – da un'intensa attività di studio dei cadaveri negli anni di formazione di Michelangelo intorno al 1493.[147] La rappresentazione della Vergine come fanciulla, un'incongruenza che non era passata inosservata tra i contemporanei, ha dato adito a svariate ipotesi, ma a proposito si rivela molto utile quanto riporta Condivi sugli intenti dichiarati da Michelangelo stesso:

Imagine veramente degna di quella umanità che al figliuolo de Iddio si conveniva e a cotanta madre; se ben sono alcuni che in essa madre riprendino l'esser troppo giovane rispetto al figliuolo. Del che ragionand'io con Michelagnolo un giorno: "Non sai tu, mi rispose, che le donne caste molto più fresche si mantengano che le non caste? Quanto maggiormente una vergine, nella quale non cadesse mai pur un minimo lascivo desiderio che alterasse quel corpo? Anzi ti vo' dir di più, che tal freschezza e fior di gioventù, oltra che per tal natural via in lei si mantenesse, è anco credibile che per divin'opera fosse aiutato, a comprobare al mondo la verginità e purità perpetua della madre. Il che non fu necessario nel figlio, anzi più tosto il contrario, perciò

Fig. 46. Filippino Lippi, *Pietà tra San Paolo Eremita e Sant'Antonio Abate*, 1500 circa, Parigi, Musée du Louvre, Département des arts graphiques

Cat. 21. Seguace di Michelangelo Buonarroti (Piero d'Argenta?), *Pietà*, 1497-1499 circa, Roma, Gallerie Nazionali di Arte Antica, Palazzo Barberini

che, volendo mostrare che 'l figliuol de Iddio prendesse, come prese, veramente corpo umano e sottoposto a tutto quel che un ordinario omo soggiace, eccetto che al peccato, non bisognò col divino tener indietro l'umano, ma lasciarlo nel corso e ordine suo, sì che quel tempo mostrasse che aveva apunto. Per tanto, non t'hai da maravigliare se, per tal rispetto, io feci la santissima Vergine, madre de Iddio, a comparazion del figliuolo assai più giovane di quel che quell'età ordinariamente ricerca, e 'l figliuolo lasciai nell'età sua".[148]

Se prestiamo fede a quanto riportato da Condivi nel 1553, con Michelangelo ancora vivo, lo scultore non si presta a un'iterazione meccanica di un'iconografia ormai consolidata ma sembra ragionare sulle sue implicazioni teologiche. In tal senso, di nuovo Condivi afferma: «[Michelangelo] ha similmente con grande studio e attenzione lette le Sacre Scritture, sì del Testamento Vecchio come del Nuovo, e chi sopra di ciò s'è affaticato, come gli scritti del Savonarola, al qual egli ha sempre avuta grande affezione, restandogli ancor nella mente la memoria della sua viva voce».[149] L'ultima affermazione restituisce alcune ulteriori suggestioni per lo studio del rapporto tra Michelangelo e il tema della Pietà. Gerolamo Savonarola, ferrarese, apparteneva infatti all'ordine domenicano, e si è visto come questo abbia contribuito alla nascita e diffusione del *Vesperbild*. Il frate aveva trascorso il noviziato presso San Domenico a Bologna, ed era priore del convento di San Marco a Firenze dal 1491, proprio quando Michelangelo si formava nel Giardino di San Marco, una sorta di accademia nata sotto l'egida di Lorenzo il Magnifico, con cui il frate era in stretti rapporti. Savonarola, la cui influenza sulle arti

figurative a Firenze in termini di accentuazione dell'elemento pietistico è stata enfatizzata in più occasioni, è giustiziato in piazza della Signoria il 23 maggio 1498, proprio mentre la *Pietà* è in cantiere a Roma.[150]

Una figura importante che affianca Michelangelo nel periodo di progettazione ed esecuzione della *Pietà* vaticana è Piero d'Argenta, che come attesta il nome è originario di un paese nel ferrarese. Il 13 gennaio 1498 Piero scrive infatti da Roma a Buonarroto Buonarroti, fratello di Michelangelo, per informarsi sullo scultore, che mancava dall'Urbe da diversi mesi senza dare notizie: si era infatti recato a Carrara per scegliere, come si è già detto, il blocco di marmo per la *Pietà*.[151] Nella stessa lettera Piero prega Buonarroto di salutargli «fra Girolamo», forse proprio Gerolamo Savonarola, e il «Frizi», probabilmente lo stesso Federigo di Filippo Frizzi che aiuterà Michelangelo a finire il *Cristo risorto*, il marmo installato in Santa Maria sopra Minerva a Roma nel 1521.[152] Gli stessi personaggi ricorrono in un'altra lettera di Piero a Buonarroto del marzo 1498, in cui Savonarola è menzionato in maniera più esplicita e in cui traspare una stretta vicinanza di questa cerchia di persone con il frate ormai prossimo alla fine.[153] Il 19 dicembre 1500 Ludovico Buonarroti, scrivendo al figlio Michelangelo, parla di Piero d'Argenta in questi termini: «Bonarroto m'à detto chome chotesto giovane che tu ài chostì chon theco, cioè Piero di Giannotto, mi dicie che gli è buono giovane, e ch'egli ti porta fede e amore. Io te lo racchomando, e fa' inverso lui quello fa' inverso di te. Per quanto Bonarroto m'à detto, mi pare avergli posto amore chome à figliuolo».[154]

Tutti questi fatti potrebbero trovare una risposta figurativa nell'identificazione in Piero d'Argenta dell'autore della *Pietà* a *grisaille* su tavola della Galleria Nazionale di Palazzo Barberini (cat. 21), in cui il rapporto visivo con la *Pietà* vaticana è evidente.[155] L'opera è stata riferita al Maestro della Madonna di Manchester, un gruppo stilistico costruito intorno alla *Madonna con il Bambino, San Giovannino e angeli* alla National Gallery di Londra, che però è di Michelangelo stesso.[156] Gli altri dipinti del gruppo sono invece evidentemente di un seguace stretto del maestro – che oggi si tende a considerare Piero d'Argenta – in grado di accedere al suo materiale di bottega.[157] La *Pietà* a *grisaille*, tuttavia, non è una copia esatta della scultura finita, ed è stato anche sostenuto che il punto di vista rialzato non sarebbe stato possibile a gruppo marmoreo installato, il che rafforza l'idea che l'autore del dipinto fosse vicino al maestro.[158] Inoltre, se ne distacca in dettagli rilevanti, come la posizione della testa di Cristo, presentata più frontalmente nel dipinto, della mano sinistra della Vergine, appoggiata sul ginocchio del Figlio nella *grisaille*, e anche del manto della Madonna, che cinge completamente il suo busto aprendosi in mezzo, mentre nella scultura è spalancato, scoprendo la veste. Queste differenze fanno pensare che l'autore del dipinto avesse consultato la mole di studi preparatori che con ogni probabilità Michelangelo aveva approntato per la scultura, un materiale grafico di cui non resta traccia. La dinamica troverebbe un parallelo nella convincente proposta che Piero d'Argenta avesse dipinto negli stessi anni, tra il 1496 e il 1501, il perduto *San Francesco che riceve le stigmate* per San Pietro in Montorio sulla base di un cartone di Michelangelo.[159]

La vera differenza tra scultura e dipinto sta però nello stile: alla classicità intrinseca del gruppo marmoreo fa da contraltare la temperie nordicizzante e, come è stato anche scritto, neo-gotica della tavola, eseguita peraltro in una tecnica – la *grisaille* – che richiama esplicitamente la pittura d'Oltralpe. Il ritmo spezzato e non fluido dei panneggi e

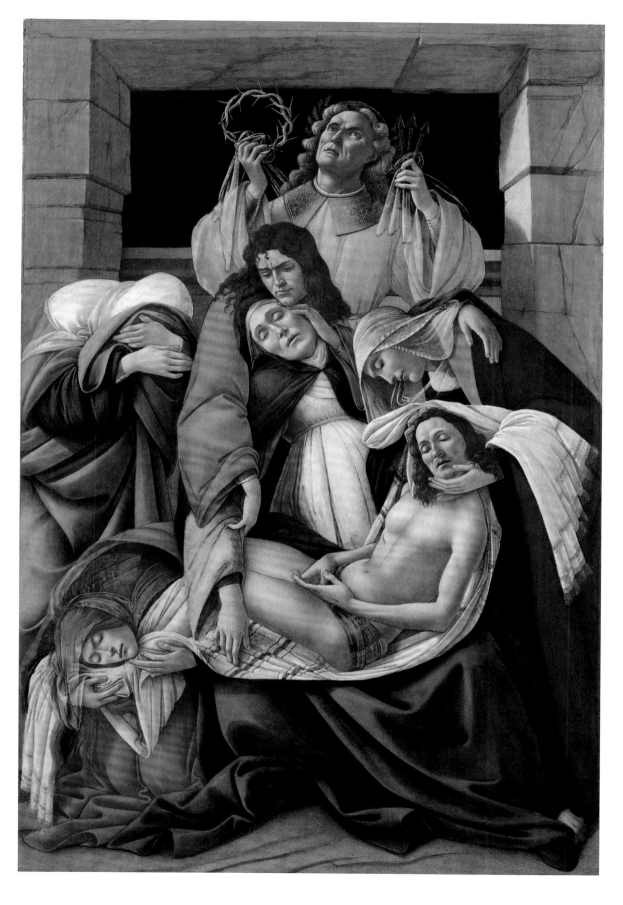

Fig. 47. Alessandro Filipepi detto il Botticelli, *Compianto su Cristo morto*, 1495-1500 circa, Milano, Museo Poldi Pezzoli

degli incastri tra le due figure è un elemento espressivo assente in Michelangelo e già ricondotto all'origine ferrarese del probabile autore, Piero d'Argenta. Tuttavia, per comprendere a pieno il dipinto bisogna tenere conto anche della temperie caricata in senso patetico della pittura fiorentina dell'ultimo decennio del Quattrocento, e in particolare della fase savonaroliana di Sandro Botticelli. Il *Compianto* del Museo Poldi Pezzoli di Milano (fig. 47) è spesso considerato una delle opere simboliche di questo periodo, sullo scorcio del Quattrocento.[160] Al centro di un gorgo di figure sta la Madonna svenuta con il Figlio in grembo, secondo una modalità da *Vesperbild*. Tutti gli altri personaggi s'intrecciano generando un effetto a intarsio. La sensazione è che l'autore della *grisaille* di Palazzo Barberini conoscesse questo momento della produzione botticelliana, di cui sembra sviluppare in parallelo componenti anti-classiche rispetto all'ideale michelangiolesco, e in tal senso vanno ricordati i rapporti stretti che in quegli anni Piero d'Argenta aveva con il contesto fiorentino.[161]

Il *Vesperbild* diventa, attraverso il blocco marmoreo di Michelangelo, classico, ed è collocato nel cuore della cristianità. Da questo momento in avanti, ogni tentativo di interpretazione figurativa del tema non potrà prescindere dal modello in San Pietro, che diventa un passaggio obbligato sia dal punto di vista iconografico che stilistico. Persino nella valle del Reno, culla del *Vesperbild*, nel Duomo di Magonza il monumento sepolcrale del canonico Johann von Hattstein, morto nel 1518, con la *Pietà tra San Giovanni Evangelista e Santa Maria Maddalena e il committente* (fig. 48), è inserito in una nicchia all'antica e reca gli inconfondibili tratti classicizzanti della *Pietà* romana di Michelangelo.[162]

La prima traduzione a stampa della *Pietà* vaticana (cat. 24), incisa da Antonio Salamanca e su probabile disegno di Nicolas Béatrizet, è datata 1547 ed è di grande interesse: infatti la scultura è inserita in un edificio in rovina come se fosse un reperto antico.[163] L'iscrizione alla base contiene l'espressione EX UNO LAPIDE: un chiaro rimando alle parole usate da Plinio il Vecchio per descrivere il gruppo marmoreo del *Laocoonte* (*Naturalis Historia*, XXXVI, 37). D'altronde il confronto con l'antichità classica era già implicato dalle condizioni stabilite dal contratto per la *Pietà*, che doveva essere «la più bella opera di marmo che sia hoge in Roma». Non è dunque un caso che la stessa impaginazione in una rovina fosse già presente nel bulino di Marco Dente con la celebre statua antica (cat. 23), riscoperta nel gennaio 1506 a Roma e poi collocata nel cortile del Belvedere in Vaticano. La stampa di Béatrizet dichiara – nella tipica chiave del paragone tra antico e moderno – che la *Pietà* di Michelangelo poteva essere intesa alla stregua di un archetipo classico, uno svolgimento paradossale se si pensa alle radici tedesche del *Vesperbild*.

MRCVS·RAVENAS·

· LAOCHOON ·

· ROMAE·IN·PALATIO·PONT·IN·
LOCO·QVI·VVLGO·DICITVR·
·BELVIDERE·

MICHAELANGELVS BONAROTVS FLOREN DIVI PETRI IN VATICANO EX VNO LAPIDE MATREM
AC FILIVM DIVINE FECIT
ANTONIVS SALAMACA QVOD POTVIT IMITATVS EXCVLPSIT ·1·5·4·7·

Agostino Allegri ha scritto le pp. 35-76 (e relative note); Antonio Mazzotta ha scritto le pp. 76-119 (e relative note).

1. *I contratti* 2005, pp. 5-6, doc. 1.
2. Già prima del contratto michelangiolesco il termine Pietà è utilizzato in Francia e in Italia, tra Tre e Quattrocento (Belting 1981, pp. 215-220; Gentile 2002, p. 163). Per un'occorrenza nella Firenze di fine Quattrocento: Landucci 1450-1516, pp. 41-42.
3. Panofsky 1927; per una visione complessiva della storia critica del termine: Skubiszewski 1995.
4. De Marcepallo [1508 circa]. L'esemplare riprodotto è acquerellato a mano, ed è conservato a Friburgo, Bibliothèque cantonale et universitaire, Rés 516.9. In realtà, si tratta di una messa in scena. L'episodio illustrato è avvenuto a Berna intorno al 1507, quando quattro domenicani per attaccare i francescani sul tema dell'Immacolata Concezione si sono presi gioco di un membro laico dell'ordine, Johann Jetzer. L'obiettivo era fargli credere di avere avuto visioni della Vergine in cui lei gli avrebbe confessato di essere stata concepita nel peccato originale. Inoltre, per rendere credibili le apparizioni a spettatori esterni, avrebbero apposto a Jetzer anche le finte stigmate che si vedono nella xilografia, così come le finte lacrime di sangue sulla statua della Madonna. I quattro domenicani furono condannati per eresia al rogo nel 1509 (Murner 1509). Sul caso Jetzer, da ultimo: Herzig 2015, pp. 152-155. La xilografia, per cui nella letteratura è stato fatto il nome di Urs Graf (Hieronymus 1984, p. 36, n. 47, fig. 171.1), è riprodotta e ricollegata alla fortuna del *Vesperbild* già in Körte 1937, p. 102, nota 144, fig. 67.
5. Vienna, Österreichische Nationalbibliothek, Cod. 2554, f. 58. Questa miniatura era già stata associata al tema del *Vesperbild* da Swarzenski 1935, pp. 142-144, fig. 8.
6. Meiss 1946, pp. 8-10, figg. 14-18.
7. Maek-Gérard 1985, pp. 154-158, n. 69; R. Suckale, G. Suckale-Redlefsen, P. Bausch, in *Schöne Madonnen* 2009, pp. 194-195, n. 22.
8. Pinder 1922, p. 4; Castri 2002, pp. 173-174; Kammel 2007; e, da ultimo: Castri 2012.
9. Per la definizione di *Treppenförmiger Diagonaltyp* – un'alternativa a *Heroischen Vesperbilder* – e una lista di sculture di questo gruppo: Passarge 1924, pp. 36-49; Krönig 1962, pp. 116-145. Si vedano anche le buone riproduzioni in: Kvapilová 2017, pp. 26-43. Sulla *Pietà* di Erfurt e altre Pietà eroiche: Kammel 2000, pp. 191-197.
10. Müller 1966, p. 32.
11. Inv. 24189: H. M. Schmidt, in *100 Bilder* 1999, pp. 150-153; R. Suckale, G. Suckale-Redlefsen, K. Liebetrau, in *Schöne Madonnen* 2009, pp. 189-190, n. 13; Liebetrau 2010. Sul termine Pietà *corpusculum*: Castri 2002, p. 174.
12. Dovrebbe trattarsi di: *Mittelalterliche* 1924, p. 6, n. 21 (dove sono riportate le misure 67 × 40 cm, una datazione al 1370-1380 circa, e la provenienza da un «Freiburger Kloster»). La fotografia di quest'esemplare è stata reperita grazie al Bildarchiv Foto Marburg online (n. mi05294f12), e la fotografia proviene dal Landesarchiv Baden-Württemberg – Generallandesarchiv Karlsruhe (n. Kratt 04336). Un altro confronto utile va istituito con la *Pietà* già in una collezione privata ad Aquisgrana (Grimme 1965). La *Pietà* di Francoforte è stata spesso confrontata (a partire da Baum 1921, p. 77, nota 8, fino a Müller 1966, p. 32, che ne sottolinea però anche le differenze) per composizione e tipologia alla *Pietà* di Unna, oggi a Münster, LWL-Museum für Kunst und Kultur, inv. E-140 LM: P. Marx, in *Einblicke – Ausblicke* 2014, p. 70. Quest'ultima, nella disposizione della Madonna dolente e seduta per terra come Madonna dell'umiltà, è stata messa in rapporto con esempi italiani sul tipo del polittico di Cecco di Pietro del 1377 (oggi a Pisa, Museo Nazionale di San Matteo, inv. 4911 – cfr. fig. 9): Körte 1937, pp. 12-13, figg. 7-8; Meiss 1946, p. 10, nota 79.
13. Gentile 2002, p. 164.
14. La descrizione della perduta *Pietà* a più figure («statua B. M. Virginis quam Vespertinam et dolorosam compellant, quod Christum e crucis patibulo in matris sinu depositum repraesentet, adpositae sunt eidem aliae Sanctarum mulierum statuae») è contenuta in un passo seicentesco: Gelenius 1645, pp. 484-485 (su cui: Krönig 1962, p. 98, nota 2; e, da ultimo, Tripps 1998, p. 165).
15. Per uno sguardo chiaro e divulgativo sulla mistica renana: Barzaghi 2016.
16. A partire da Pinder 1920; Baum 1921, pp. 72-80; Dehio 1923, II, pp. 120-121; Passarge 1924, pp. 12-17. Per un consuntivo sulla questione: Ziegler 1992, pp. 25-51; si veda anche Kvapilová 2017, pp. 37-43.
17. Susone [1327-1328], p. 318.
18. Susone [1333-1334 circa], p. 882.
19. Abbiamo reperito quest'immagine grazie alla ricerca iconografica nella fototeca del Warburg Institute di Londra (nella cartella «Pietà with sinners»). Su questa rara iconografia, che compare simile anche nella chiesa di Saint John the Evangelist, a Corby (Lincolnshire): Bardsley 2003, pp. 152-153.
20. Del Monaco 2018, pp. 122-124, n. 19.
21. Ringraziamo Alfonso D'Agostino per l'indicazione, sulla base della somiglianza con un lemma dell'*Orbis latinus* di Graesse, consultabile online.
22. Susone [1327-1328], p. 313.
23. Per esempio: Kvapilová 2017, pp. 320-323, nn. K.2.35, K.2.38.
24. Sauser 1972.
25. Panofsky 1927; Middeldorf 1962.
26. La definizione si trova in Longhi 1934-1935, p. 65.
27. Wolters 1976, I, pp. 103, 262; II, fig. 748; F. Pietropoli, in *Gli Scaligeri* 1988, pp. 476-477, n. b; Zanolli Gemi 1991, pp. 20, 152-156; Vinco 2010, pp. 18, 23, nota 11; Castri 2012, pp. 42-43, fig. 9. Altri esemplari analoghi sono conservati in Sud Tirolo, tra Burgusio, Merano e Bressanone: Müller 1935, pp. 40-41, 46-47, figg. 86-88.
28. Per un quadro aperto ed esaustivo del problema: Meiss 1936, p. 453; 1946, pp. 8-10, figg. 14-18, 27. Per le diverse posizioni: Swarzenski 1924; Kauffmann 1935, pp. 183-184, tav. 36; Körte 1937, pp. 8-18; de Francovich 1938, pp. 252-259; Boskovits 1966, pp. 11-12.
29. Longhi 1965, p. 179, fig. 230; Boskovits 1966, pp. 11-12, 35, fig. s.n.; e, da ultimo: Parenti 2008, p. 65, fig. 11.
30. Inv. 4911.
31. La tavola è passata all'asta recentemente a New York, Sotheby's, 26 maggio 2016, lotto 3. Composizioni quasi identiche si trovano a Trapani, al Museo Pepoli, inv. 150 bis (Buttà 2009, pp. 175-176); e, come ci segnala Lorenzo Principi, a Montefalco, Complesso Museale di San Francesco (donazione in ricordo di Stefano Antonelli). Su Roberto d'Oderisio, da ultimo: Vitolo 2016.

32. Sulla diffusione quattrocentesca di *Vesperbilder* nordici in Italia il punto di partenza rimane: KÖRTE 1937 (da tenere presente insieme alle recensioni: MÜLLER 1937; MIDDELDORF 1938, pp. 415-423); si veda anche KUTAL 1946. Per l'area veneto-friulana: TEMPESTINI 1977; CASTRI 2002, pp. 180-183; BERNINI 2004; per le Alpi Occidentali: GENTILE 2002, pp. 163-166.

33. MÜLLER 1937, p. 392.

34. KÖRTE 1937, pp. 35, fig. 26, 119-120, n. 23; PATAT 1987, p. 220, n. 52; CASTRI 2002, pp. 180, 184, nota 52.

35. Il materiale di quest'opera è stato creduto a torto terracotta (PASSARGE 1924, p. 60; KÖRTE 1937, pp. 119-120, n. 23) o pietra arenaria (PATAT 1987, p. 220, n. 52).

36. PASSARGE 1924, pp. 56-68; KÖRTE 1937, pp. 21-41; KUTAL 1946; 1972. Sullo *Schöne Stil* bisogna partire da: *Die Parler* 1978 (dove si trovano molti esemplari di *Schönes Vesperbild*).

37. Un ricco repertorio di sculture di questa tipologia è offerto da GROSSMANN 1970, pp. 55-82.

38. KÖRTE 1937, pp. 22-24, fig. 13, 124, n. 52, 133, doc. I; GROSSMANN 1970, pp. 74-76, n. 30, fig. 22.

39. Per Bramberg: GROSSMANN 1970, p. 76, n. 31, fig. 23; per Ceneda e Pieve di Cadore: KÖRTE 1937, pp. 24, fig. 15, 30, fig. 21, 119, n. 17, 122, n. 36. In Veneto ne esistono inoltre altri esemplari sostanzialmente identici: a Bassano del Grappa, Duomo, e a Verona, San Zeno (KÖRTE 1937, pp. 25-26, figg. 16-17, 117, n. 6, 125, n. 58); nella Penitenzieria del Santuario di Monte Berico, ma proveniente dalla chiesa vicentina di Santa Maria dei Servi in Foro (BARBIERI 1999, p. 77, fig. 115); nell'oratorio del Capitello ad Anguillara Veneta (POLO 2006). Ne esiste poi un'altra 'figlia' anche nella casa parrocchiale di Altenmarkt im Pongau: KVAPILOVÁ 2017, pp. 72-73, fig. 48.

40. KÖRTE 1937, pp. 98-99, fig. 65; le tele non sono più accanto alla *Pietà*: ABITI 2004, pp. 40-42.

41. RIGONI 1930, pp. 58-60, tav. 2; KÖRTE 1937, pp. 38-39, fig. 30, 121, n. 33, 133, doc. II; LOTZ 1965, pp. 105-107, fig. 3, 111, n. II; WOLTERS 1976, I, pp. 263-264, n. 213; II, fig. 749. L'opera è presa ad esempio per spiegare le origini germaniche dell'iconografia della *Pietà* vaticana di Michelangelo da SETTIS 1979, pp. 119-120, figg. 107-108.

42. DE NICOLÒ SALMAZO 1993, pp. 8-31.

43. RIGONI 1930, p. 67, doc. III; per la ricorrenza delle descrizioni nei contratti di primo Quattrocento: GENTILE 2002, p. 166.

44. Se ne vede una deduzione grafica in KÖRTE 1937, p. 39, fig. 31.

45. Su cui LOTZ 1965. Non è da escludere che Egidio avesse già eseguito una *Pietà* a Padova (per il Duomo), come sembrerebbe suggerire il contratto per quella di Santa Sofia, da fare «ad immagine nostre matris Virginis Marie que iacet subtus confessione in ecclesia maiori Padue videlicet catedrallj que est alba et aliquantum majorem» (RIGONI 1930, p. 67, doc. III; LOTZ 1965, p. 112, n. III).

46. L'iscrizione con la data fornisce anche il nome del committente: HOC OPUS FECI FIERI IACHOBUS DE PEGARINIS SACRISTA ISTIUS ECLESIE MCCCCLVII DIE 17 SETE(M)BRIS. L'opera era stata già chiamata in causa – ma con una datazione errata al 1415 circa – da MEISS 1946, pp. 8-9, nota 68. Si veda inoltre: GASPARINI 1977a, p. 25, fig. s.n.; 1977b, p. 25, nota 76.

47. KÖRTE 1937, pp. 41, fig. 33, 120, n. 28; CASTRI 2002, pp. 183, 185, nota 62; VINCO 2011, pp. 58-65.

48. Un esemplare di *Schönes Vesperbild* (assente in KÖRTE 1937) si trova a Venosa, Museo Episcopale (CA-

SCIARO 2004, p. 35), ma fino a poco tempo fa nella chiesa di San Biagio.

49. Se ne trovano parecchi esempi in KVAPILOVÁ 2017.

50. Un repertorio si trova in SCHRÖDER 2004.

51. Se ne trovano numerosi in *Die Parler* 1978.

52. La scheda OA-P (n. cat. gen. 08/00028327), redatta da Rosa d'Amico nel 1999, riporta che la scultura lapidea del Museo di San Domenico proviene dalle soppressioni del 1866. Purtroppo non siamo riusciti a reperire altre notizie sull'oggetto, che sembra essere stato ignorato dagli studi.

53. KÖRTE 1937, pp. 19, 21, fig. 12, 118, n. 12, 135-136, doc. XI; KUTAL 1946, pp. 23-24.

54. MAEK-GÉRARD 1985, pp. 9-12, n. I, dove si elencano altri esemplari quasi identici, da produzione seriale, nel Neues Schloss di Oettingen e nella parrocchiale di Dorndorf, nei pressi di Steinberg.

55. Sulla rinascita della terracotta in Italia nel primo Quattrocento: BELLOSI 1989.

56. Inv. DG1934/170: HIND 1935, I, pp. 93, 121-122, fig. 53 (in cui è definita «one of the most impressive of all the cuts of the early XV century» e anche «directly inspired by sculpture in wood»).

57. DODGSON 1903-1911, I, p. 73, n. A 48; SCHREIBER 1926-1930, II, p. 92, n. 974.

58. Invv. 400-418: MAEK-GÉRARD 1981, pp. 148-174, nn. 71-89.

59. Per un quadro aggiornato sulla storia critica: NANNI 2008; WOODS 2013.

60. La proposta è di WOODS 2013, pp. 73-77.

61. NANNI 2007, pp. 39-41, nota 30, fig. 7; 2008, pp. 17, fig. 6, 24, nota 36; per la cappella: A. Turchini, in *Il Tempio* 2010, I, pp. 195-198; II, pp. 108-109, figg. 83-84.

62. Per il rapporto tra questa scultura e la tradizione dello *Schönes Vesperbild*: KUTAL 1946, p. 23.

63. WILLIAMSON 1988, pp. 187-191, n. 54. La scultura è stata esposta nella mostra sulla giovinezza di Michelangelo – e dunque implicitamente messa in rapporto con la *Pietà* vaticana – tenutasi nel 1994-1995 alla National Gallery di Londra: HIRST, DUNKERTON 1994, p. 138, n. 13.

64. Si vedano, tra gli altri, gli esemplari di Baltimora, Walters Art Gallery, inv. 27.349; Wiesbaden, Sammlung Nassauischer Altertümer (già presso San Martino a Lorch); Wiesbaden, Hessisches Landesmuseum; già a Londra, Daniel Katz (su cui E. D. Schmidt, in *Il potere* 2001, p. 188, n. 58). Un primo repertorio di queste sculture – da rivedere punto per punto – è fornito da SWARZENSKI 1921, pp. 204-206.

65. S. Guillot de Suduiraut, in *Les sculptures* 2006, p. 352.

66. Inv. Śr.402 MNW: M. Kochanowska, in *Materia* 2011, pp. 298-301, n. II.4; per una trascrizione del documento del 1431: JOPEK 1988, p. 9, doc. 3.

67. WOODS 2013, p. 65, afferma che il documento potrebbe riferirsi alla cassa scolpita per contenere il manufatto.

68. Per l'attribuzione al Maestro della Leggenda Aurea di Monaco: PLUMMER 1982, pp. 6-7, 22; per quella al Maestro di Bedford, suggerita da Jean Porcher: SANTORO 1958, pp. 111-113, n. 116.

69. GROSSMANN 1970, p. 102, n. I.

70. CAVAZZINI 2004, pp. 13-14, figg. 19-21.

71. Sembra infatti dipendere dal rilievo della sagrestia meridionale del Duomo di Milano il *Compianto* messo in opera dalla bottega dei ticinesi Filippo Solari e Andrea da Carona sotto l'altare Sa-

raina in San Fermo Maggiore a Verona (su cui Cavazzini, Galli 2007, pp. 26, 38, nota 101, 83, fig. 59).

72. A. Galli, in *Da Jacopo* 2010, pp. 92-93, n. A.27.

73. Questa identificazione è stata proposta a partire da A. Galli, in *La libreria* 1998, p. 346, nn. 17-18.

74. A. De Marchi, in *Da Jacopo* 2010, pp. 258-259, n. C.31.

75. Von Erffa 1976.

76. Da ultimo: Falcone 2010. Nel suo ultimo anno di vita (1481), Sano di Pietro affronta lo stesso tema (*Compianto su Cristo morto con i Santi Francesco d'Assisi e Antonio da Padova*) nella tavola firmata e datata anch'essa presso la Fondazione Monte dei Paschi di Siena (inv. 7000). Quest'ultima si direbbe inconciliabile per qualità e stile con quella di circa mezzo secolo prima.

77. Per la copia, probabilmente di un pittore attivo in Savoia (inv. 1907.1.56): *The Frick* 1968, pp. 124-129; per il modello (inv. 1981.1.172): F. Elsig, in *El Renacimiento* 2001, pp. 309-311, n. 42; S. Kemperdick, in *Konrad Witz* 2011, pp. 229-232, n. 46.

78. G. Donati, in *Da Jacopo* 2010, pp. 314-315, n. D.5.

79. Bagnoli 1989, p. 278.

80. A questo proposito bisogna tener conto della proposta, avanzata da Cavazzini, Galli 2007, pp. 26, 38, nota 102, 83, fig. 58, di ricondurre la *Pietà* lignea in San Francesco a Ferrara alla bottega ticinese di Andrea da Carona e Filippo Solari, intorno al quarto decennio del Quattrocento (non condivisa da Ferretti 2007, pp. 128, figg. 76-77, 133).

81. Bagnoli 1989, p. 282.

82. Per un'analisi approfondita delle implicazioni del brano, anche in rapporto all'iconografia del *Vesperbild*: Settis 2013, in particolare pp. 89-93, fig. 43, dove si propone l'identificazione del *Trasporto di Meleagro* descritto dall'Alberti nel coperchio perduto del sarcofago con la *Caccia al cinghiale Calidonio* oggi conservato a Villa Medici a Roma. Sarcofago e coperchio erano entrambi a inizio Novecento in palazzo Sciarra a Roma, e del secondo si conosce solo la vecchia fotografia qui riprodotta (*Die mythologischen* 1975, p. 110, n. 80, tav. 84).

83. A. Bagnoli, in *Scultura* 1987, pp. 177-180, n. 46; Bagnoli 1989, pp. 279-284. Una discussione della scultura in rapporto a Michelangelo è accennata in Dunkelman 2014, pp. 120, 129, fig. 23.

84. Su cui da ultimo Dalvit 2017.

85. Körte 1937, pp. 57-65, 117, n. 5, 120-122, nn. 24-26, 29-30 e 35, 123-124, n. 48. Un altro gonfalone con lo stesso tema e prodotto nelle stesse zone è quello di Giovanni Boccati, oggi alla Galleria Nazionale dell'Umbria a Perugia (inv. 437): Garibaldi 2015, pp. 409-411, n. 151. Sui gonfaloni in Umbria (ma non sono presenti gli esemplari qui discussi): Santi 1976.

86. Bellosi 2007, p. 84.

87. Bellosi 2007, p. 84. Le *Storie di San Bernardino* sono gli invv. 222-229.

88. Inv. 8 P: H. Chapman, in Chapman, Faietti 2010, pp. 202-203, n. 49.

89. Inv. 1890, n. 8365: Cecchi 1984.

90. Per la produzione dei Della Robbia si vedano gli esemplari censiti in Gentilini 1992, I, pp. 254, 261; II, pp. 288, 301, 311, 392, 429, 441.

91. Vasari 1550 e 1568, III, p. 37; Casalini 1971, pp. 11-24. Per un tentativo di ricostruzione del problema della *Pietà* di Dello Delli sulla base di esemplari superstiti di ambito servita: Principi in corso di stampa.

92. La *Pietà* di Dello Delli è stata indicata come possibile fonte di ispirazione per Michelangelo da Parronchi 1974, pp. 71-77.

93. Venezia era ricca di *Vesperbilder* stranieri nelle chiese, e ancora oggi ne rimangono esemplari, ad esempio nella chiesa di San Giovanni in Bragora e nel battistero della basilica di San Marco: Körte 1937, pp. 26-27, fig. 18, 36-37, fig. 29, 125, nn. 55-56.

94. Belting 1985; e, da ultimo: De Marchi 2012; 2014.

95. Settis 2013, p. 89, fig. 37. Si vedano poi Castri 2002, p. 175, nota 24; M. Ceriana, in *Giovanni Bellini* 2014, pp. 172-173, n. 26.

96. Inv. 200: Moschini Marconi 1955, pp. 65-66, n. 66.

97. Menato 2016, pp. 24-28, figg. 15, 17; 2018. La fortuna di questa composizione carpaccesca è testimoniata dalla tavola di Michele da Verona in collezione Berenson, presso villa I Tatti: M. Vinco, in *The Bernard* 2015, pp. 459-462, n. 70. Un'interpretazione veneziana ancora più antica del *Vesperbild*, databile agli anni Sessanta del Quattrocento, è quella di Lazzaro Bastiani – a più figure – nella piccola pergamena del Poldi Pezzoli di Milano (inv. 1586: M. Vinco, in *Giovanni Bellini* 2012, pp. 72-73, n. 8).

98. Inv. KdZ 5034: Schulze Altcappenberg 1995, pp. 193-194, n. 19; H. Th. Schulze Altcappenberg, in *Kunstsinn* 2002, pp. 46-47, n. 9.

99. Menato 2016, pp. 23-46.

100. Pope-Hennessy 1964, I, p. 313, n. 342; III, p. 203, fig. 337; Ferretti 1991, p. 650; si veda anche C. J. Hessler, in *Wettstreit* 2002, p. 288, n. 84.

101. A. Bellandi, P. Di Natale, in *Domenico* 2006, pp. 82-83, n. I.2.9. L'opera è ancora oggi considerata ferrarese e vicina ai modi dello scultore di origine fiorentina ma attivo a Ferrara Niccolò Baroncelli, morto nel 1453 (su cui, da ultimo: Lucidi 2014). Abbiamo sottoposto la questione a David Lucidi, che ritiene che l'attribuzione a Baroncelli non abbia alcun fondamento, e che invece sia probante il confronto del manto della Vergine, «così rigido, teso e appiattito», con alcune opere di Pietro Lombardo come la *Madonna con il Bambino* Bembo (Padova, collezione privata: F. Magani, in *Rinascimento* 2008, pp. 256-259, n. 10), e allo stesso modo l'angelo di sinistra con l'angelo della tomba del doge Malipiero a Venezia nella chiesa dei Santi Giovanni e Paolo, eseguita da Pietro dopo il 1462. Lucidi ritiene inoltre che il rilievo bronzeo possa spettare ad anni più maturi, al momento dell'affrancamento dalla bottega di Pietro del figlio Tullio. In effetti, calza il confronto con il bassorilievo marmoreo con la *Pietà e Santi* nella cappella Gussoni della chiesa di San Lio a Venezia, che oscilla tra Pietro e Tullio Lombardo, ma anche con la *Pietà* della chiesa dei Santi Francesco e Giustina a Rovigo, che spetta invece alla maturità di Tullio (Markham Schulz 2014, pp. 115-118, figg. 311-316) e che sembra riflettere sul modello michelangiolesco della *Pietà* vaticana. Il bronzo del Victoria and Albert spetterebbe dunque al momento di transizione tra Pietro e Tullio Lombardo, a cavallo tra anni Ottanta e Novanta del Quattrocento.

102. In merito al culto per le *Pietà* scolpite in area veneta subalpina, vale la pena menzionare l'esemplare di *Vesperbild* ligneo del santuario della Cornabusa in Valle Imagna, nel Quattrocento parte del territorio della Serenissima. Lo stile sembra ricondurre all'ambito veronese negli anni Sessanta del Quattrocento (Ibsen 2016, p. 42, fig. 3), e il corpo di Cristo è talmente rimpicciolito da assumere proporzioni infantili (cfr. catt. 1, 20).

103. G. C. F. Villa, in *Bartolomeo* 2014, pp. 299-300, 344-345, nn. 19, 60.

104. A. Sangalli, G. Valagussa, in *I restauri* 2000, pp. 80-81, n. 23; Ervas 2012, p. 130.

105. Padova, Musei Civici, inv. 3; per Vicenza, Pinacoteca Civica, inv. a 158: M. Constantoudaki Kitromilides, in *Pinacoteca* 2003, pp. 219-220, n. 73. Una discussione sul tema è abbozzata da Körte 1937, pp. 104-106, figg. 68-69.

106. Seroux d'Agincourt 1823, ii, p. 91; v, tav. xic. Per le illustrazioni di Seroux: Miarelli Mariani 2005.

107. Milano, Biblioteca Ambrosiana, E 146 sup., f. 96: Villa, Petoletti 2007, pp. 140-141, 143, 149-150, fig. 57.

108. Inv. 5624-1859: Williamson, Davies 2014, ii, pp. 818-821, n. 268.

109. Tomasi 2003, pp. 137, 144, nota 86. Per la posa meditabonda di Tisbe: Settis 1975, pp. 12-16.

110. Purtroppo alcune parti in madreperla sono andate perdute nel corso del Novecento, ad esempio la Croce, con appeso lo staffile a sinistra, il nimbo di Cristo e parte della cornice prospettica circostante (G. Gregorietti, in *Orologi, oreficerie* 1981, pp. 293-294, n. 212). Queste caratteristiche non danno la giusta percezione degli *arma Christi* in smalto, che sembrano fluttuare. Una fotografia che mostra uno stato conservativo migliore si trova nel Bildarchiv Foto Marburg online (n. 130.470), ed è databile al 1918 circa.

111. Agosti 1998, p. 61, nota 56.

112. G. Romano, in *Zenale* 1982, pp. 78-80, n. 22. Da ultimo: P. Venturelli, in *Oro* 2011, pp. 184-186, n. 34.

113. Lehrs 1908-1934, ii, p. 84, n. 33; Höfler 2007, i, pp. 25, 29, 209; ii, fig. 33.

114. Inv. 1896,0710.1: il collegamento è individuato da Warburg 1903, p. 310; da ultimo: Chapman 2005, pp. 253-254, fig. 104, 291, n. 90.

115. Inv. ap 2009.01: Christiansen, Gallagher 2009; Bambach 2017, pp. 32-34, fig. 2; Barry 2017.

116. C. Cavalca, in *Cosmé Tura* 2007, pp. 384-385, n. 99.

117. Longhi 1934, p. 29, fig. 83.

118. Ginzburg 1991, p. 29.

119. Bellosi 1987, pp. 16, 35, nota 5.

120. Settis 2013, p. 90.

121. M. Toffanello, in *Cosmé Tura* 2007, pp. 300-301, n. 59; M. Minardi, in *La fortuna* 2014, pp. 366-369, n. 64. Sulla storia conservativa dell'opera: S. Vedovello, in *Carpaccio* 1993, pp. 145-152, n. 122.

122. Per il motivo iconografico e la sua probabile ascendenza nordica: Janson 1952, pp. 123-124.

123. La bella descrizione del Calvario si trova in Venturi 1931, p. 37. È peculiare dell'area tra Bologna e Ferrara l'utilizzo delle forme del *Vesperbild* nelle cimase con *Compianti*. Almeno due sono le occorrenze famose: la cimasa di Cosmé Tura per il polittico Roverella (Parigi, Musée du Louvre, inv. m.i. 485: Thiébaut 2007, p. 52) e la cimasa di Francesco Francia per la pala Buonvisi (Londra, National Gallery, inv. ng180: Mancini, Penny 2016, pp. 168-185).

124. Popham, Pouncey 1950, i, pp. 140-141, n. 228; ii, tav. cxcvi; de Tolnay 1969-1971, i, p. 91, fig. 183 (che confronta – per contrasto – il disegno alla *Pietà* vaticana di Michelangelo); Manca 1992, pp. 140-141, n. 19. Il sedile è un coperchio di sarcofago all'antica che simula un tetto displuviato a squame.

125. I dubbi nascono dalla somiglianza compositiva con la quasi identica – anche se in controparte – tavola di Ludovico Mazzolino, oggi in collezione Cini (inv. vc 6488), che ha portato a considerare dello stesso autore,

seppur dubitativamente, anche il foglio del British Museum (Bacchi 1990, pp. 58-65, fig. 9b; E. Sambo, in *La Galleria* 2016, pp. 198-201). Tuttavia, il dipinto appartiene a tutt'altra congiuntura artistica, già cinquecentesca, presentando un paesaggio post-giorgionesco e una qualità che non regge il confronto con la prova grafica, ancora imbevuta di virtuosismi prospettici quattrocenteschi. Per il dipinto di Liverpool (inv. wag 2773): Manca 1992, pp. 129-130, n. 14c; per la radiografia che ha rivelato la presenza del foro per la chiave: Syson 1999, p. viii, nota 40; Allen 1999, p. xxii, fig. 29. Ercole de' Roberti ha dipinto, qualche anno dopo, un'altra *Pietà* a più figure, molto probabilmente per San Domenico a Ferrara e oggi perduta: Manca 1985.

126. Per altri piedi in scorcio su carta di ambito ferrarese: Schulze Altcappenberg 1995, pp. 86-88, fig. 7, 196, n. 23.

127. Inv. 6381: L. Ciammitti, in *Pinacoteca* 2004, pp. 260-262, n. 100. Il confronto tra disegno e affresco era già stato proposto da Manca 1992, pp. 140-141, n. 19. Sulla cappella Garganelli in San Pietro: Ciammitti 1985; Manca 1986.

128. Lamo 1560, p. 90.

129. Longhi 1940, pp. 136-137.

130. Vasari 1550 e 1568, vi, pp. 114-115.

131. Agostini, Ciammitti 1985.

132. Su questa fase, da ultimo: Hirst 2011, pp. 23-26.

133. Condivi 1553, p. 17. Per l'Aldrovandi: Ciammitti 1999.

134. Inv. csa 568/IV: Körte 1937, pp. 82-83, fig. 62; de Tolnay 1969-1971, i, p. 92, fig. 182; Liebmann 1977, pp. 7-8; Weil-Garris Brandt 1987, p. 117, fig. 26; è considerata addirittura degna di Niccolò dell'Arca da Dunkelman 2014, pp. 120, 127, 130, fig. 24. Per altre *Pietà* in terracotta di area padana: Ferretti 2007, pp. 128, fig. 77, 133 (nel Duomo di Finale Emilia); Maek-Gérard 1981, pp. 90-91, n. 39 (alla Liebieghaus di Francoforte sul Meno, inv. 76, ma di probabile provenienza cremonese). Un'altra terracotta, attribuita ottimisticamente ad Andrea Bregno e in collezione privata, è stata messa in rapporto al giovane Michelangelo, ma pone non pochi problemi di cronologia: Gardelli 2007.

135. Su questa fase, da ultimo: Hirst 2011, pp. 24-31.

136. Su Jacopo Galli e Michelangelo, da ultimo: *Michelangelo* 2018. Si veda inoltre Agosti 2005, pp. 95-96, nota 33.

137. Inv. 10 Sculture: Hirst, Dunkerton 1994, pp. 29-35.

138. *I contratti* 2005, pp. 5-6, doc. i. Sull'opera: de Tolnay 1969-1971, i, pp. 145-150, n. v; Hirst, Dunkerton 1994, pp. 47-55; e, da ultimo: Hirst 2011, pp. 31-37.

139. Sulla storia e la committenza della scultura, e sulla rotonda di Santa Petronilla: Weil-Garris Brandt 1987; Niebaum 2007; e, da ultimo: Fenichel 2017.

140. Questo calco, opera del Laboratorio restauro marmi dei Musei Vaticani (U. Grispigni, L. Ermo, F. De Sanctis) è tratto a sua volta da un calco del 1930, prima del famoso atto vandalico compiuto nel 1972 dal geologo psicopatico László Tóth. Il gesso restituisce dunque l'apparenza dell'opera michelangiolesca nella sua integrità prima dei danneggiamenti: J. Sliwka, in *Michelangelo* 2017, pp. 92-93, n. 2. Il più antico calco a noi noto, eseguito intorno al 1560, è opera di Leone Leoni ed è oggi conservato a Milano, Pinacoteca Ambrosiana (inv. 268): A. Rovetta, in *Pinacoteca* 2009, pp. 369-372, n. 1882.

141. Su Bilhères: Rill 1968. Per il saldo del 1500: Hirst, Dunkerton 1994, p. 55.

142. È stato affermato che l'unico precedente di pari monumentalità sia la *Pietà* di Jacopo del Sellaio (su cui BASKINS 1989), dipinta per San Frediano a Firenze, poi finita a Berlino, Kaiser Friedrich Museum, e andata distrutta durante la guerra: HIRST, DUNKERTON 1994, p. 78, nota 22. Per allargare il panorama sui precedenti fiorentini: DE TOLNAY 1969-1971, I, p. 148.

143. HIRST 1985.

144. JUŘEN 1974; AGOSTI 1986.

145. VASARI 1550 e 1568, VI, p. 16. L'esemplare riprodotto, eseguito su lino da Leonardo, è a Parigi, Musée du Louvre (inv. 2255). Il confronto calzante è stato proposto da WILDE 1953, pp. 66-67, figg. 2-3.

146. VASARI 1550 e 1568, VI, pp. 16-17.

147. CONDIVI 1553, p. 15.

148. CONDIVI 1553, pp. 19-20.

149. CONDIVI 1553, p. 62.

150. Su Savonarola e Michelangelo, da ultimo: VERESS 2010.

151. *Il carteggio indiretto* 1988-1995, I, p. 1, doc. 1.

152. Su cui, da ultimo: DANESI SQUARZINA 2018.

153. *Il carteggio indiretto* 1988-1995, II, pp. 321-322, doc. 1.

154. *Il carteggio* 1965-1983, I, p. 10, doc. VI.

155. Sull'opera (resa nota da ZERI 1953, pp. 59-61, figg. 107-108), per cui sono stati avanzati anche i nomi di Jacopo dell'Indaco (AGOSTI 1992, pp. 22, fig. 2, 35, nota 20; F. Benedettucci, in *Il Giardino* 1992, pp. 92-94, n. 19) o Pedro Nunyes (DACOS 1993, pp. 29-35): HIRST, DUNKERTON 1994, pp. 39-42, fig. 26; MOCHI ONORI, VODRET 2008, p. 111, n. 1134; C. Cinelli, in *1564/2014. Michelangelo* 2014, pp. 263-264, n. III.8.

156. Inv. NG809: HIRST, DUNKERTON 1994, pp. 36-46 (se ne era già accorto CONTI 1986, pp. 59-67).

157. BAMBACH 2017, pp. 55-56, fig. 17, n. 27.

158. HIRST, DUNKERTON 1994, p. 77, nota 11.

159. AGOSTI, HIRST 1996; a cui si può aggiungere *Le postille* 2015, pp. 215-216, nota 674. Il recente rinvenimento di due incisioni di fine Cinquecento ha permesso di dare un'apparenza ancora più precisa alla composizione della pala perduta: ALBERTI 2015, pp. 176-179, nn. 285-286. Una conferma per l'attribuzione a Piero d'Argenta dell'intero gruppo arriverebbe dal confronto tra la morfologia del paesaggio nelle incisioni del *San Francesco che riceve le stigmate* e il fondale della *Madonna con il Bambino* (su cui ZERI 1953, p. 62, fig. 111) passata all'asta a Venezia, Semenzato, il 10 dicembre 1989 (già di Imelda Marcos, vedova dell'ex dittatore delle Filippine).

160. Inv. 1558: NATALE 1982, pp. 153-154, n. 189; e, da ultimo: CECCHI 2005, pp. 332-334.

161. La *grisaille* di Palazzo Barberini è stata avvicinata anche a Filippino Lippi: F. Benedettucci, in *Il Giardino* 1992, pp. 92-94, n. 19. A proposito, vale la pena chiamare in causa i disegni di Filippino Lippi con le *Pietà* (Lione, Musée des Beaux-Arts, inv. 1966375; Cambridge (Mass.), Fogg Art Museum, inv. 1932.129; Parigi, Musée du Louvre, inv. 2697, fig. 46), i cui rapporti con la *Pietà* vaticana andrebbero chiariti ulteriormente (per ora si veda G. R. Goldner, in *The Drawings* 1997, pp. 282-287, nn. 86-88).

162. Un confronto con la *Pietà* vaticana è proposto anche da HEINZ, SCHMID 2007, p. 90.

163. G. Agosti, in *Michelangelo* 1987, pp. 109-110, n. 46; SETTIS 1999, p. 19, fig. 17; ALBERTI 2015, pp. 205-206, n. 311.

VESPERBILD

alle origini
delle *Pietà*
di Michelangelo

Antonio Salamanca, *La Pietà di Michelangelo*, 1547, Roma, Istituto Centrale per la Grafica • Maestro di Rimini, *Pietà*, 1430 circa, Londra, Victoria and Albert Museum   Progetto grafico: Francesco Dondina

13.10.2018
13.01.2019

Sale dell'Antico Ospedale Spagnolo
Castello Sforzesco
Milano

Orari
9–17,30
Chiuso il lunedì

INGRESSO LIBERO
www.milanocastello.it

Si ringrazia

Fondazione
CARIPLO

Note sull'allestimento

Andrea Perin

L'allestimento di una mostra, oltre a creare un arredo dove le opere sono collocate nella maniera ottimale per la visione e la conservazione, ha la responsabilità di rendere evidente il pensiero critico dei curatori e insieme di saper prevedere il ruolo del futuro visitatore, la sua possibilità di comprendere il messaggio proposto rispettando però l'autonomia di percorso e riflessione.[1] Allo stesso modo in cui l'artista spesso immaginava il ruolo dello spettatore nella fase stessa di ideazione dell'opera.[2]

In *Vesperbild* l'allestimento, realizzato all'interno delle Sale dell'Antico Ospedale Spagnolo del Castello Sforzesco, ha inoltre il compito di aiutare il visitatore a non farsi confondere dalla similarità iconografica delle opere esposte che propongono tutte il tema della Pietà. A fronte di un rischio di distrazione dello spettatore, l'allestimento cerca di mantenere invece intatti l'attenzione e il senso di sorpresa, costruendo un percorso a tappe con sguardi isolati che evidenziano le peculiarità delle singole opere, insieme a confronti e associazioni mirate utili a comprendere le fasi di sviluppo del modello iconografico.[3]

Per ciascuna di esse infatti l'allestimento prevede una collocazione separata, con una parete di fondo e, quando serve, un basamento su misura, evitando sia le disposizioni simmetriche che la parete continua che avrebbero omologato i pezzi in un unico contesto.[4]

A fronte

Locandina della mostra,
Francesco Dondina

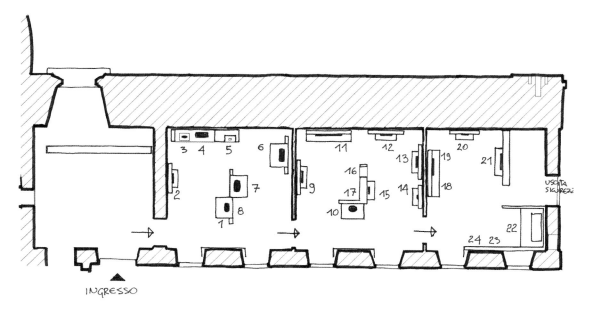

Per ogni opera sono individuate le quote che aiutano la visione e la comprensione, con una collocazione poco più alta per le sculture, a evocarne la possibile posizione originaria nelle chiese. La particolarità di ciascuna scultura è sottolineata anche da piccole variazioni dell'allestimento: molte hanno un accenno di nicchia alle spalle mentre altre una parete liscia; due statue, ambedue opera del Maestro di Rimini, sono collocate insieme in una vetrina chiusa.

La prima sala del percorso è uno spazio di accoglienza per il visitatore, che riceve le informazioni sul *Vesperbild* e abitua la vista alla bassa illuminazione del percorso, necessaria per la conservazione, ma è anche un ambiente utile per far decantare il microclima (la sala è a contatto con l'esterno) e conservare la corretta umidità relativa degli ambienti espositivi.

La disposizione è organizzata in senso cronologico, ma la prima opera che il visitatore vede sarà il calco della *Pietà* vaticana di Michelangelo in fondo al cannocchiale visivo: pur essendo l'ultima che osserverà da vicino, la sua immagine sarà il riferimento utile per comprendere lo sviluppo del modello iconografico.

Il nuovo impianto illumina con una tonalità calda le singole opere (faretti LED, temperatura 3100°), e per le sculture opera con due fonti opposte e non uniformi, che si smorzano a vicenda e aiutano a leggere la plasticità della statua.

La scelta della temperatura della luce e soprattutto del colore degli arredi, elementi comunicativi fondamentali in un allestimento sia per la percezione cromatica delle opere che per l'impatto emozionale, è inevitabilmente espressione della cultura e della sensibilità attuali nonché delle convenzioni espositive.[5]

Il colore in mostra, definito dopo varie prove dal vivo insieme ai curatori, è un blu-violaceo scuro che si è ritenuto potesse valorizzare il cromatismo delle opere ed evocare i toni cupi del vespro. Accanto a questo un grigio scuro per l'interno delle vetrine, i piani orizzontali dei basamenti e il fondo dei *climabox*.

1. BAXANDALL 1995.
2. SHEARMAN 1995.
3. PERIN 2005a.
4. PERIN 2005b.
5. FALCINELLI 2017.

Elenco delle opere in mostra

1. Scultore tedesco
Vesperbild
1380-1400 circa
legno di noce – cm 88 × 50 × 25
Francoforte sul Meno, Liebieghaus
Skulpturensammlung, inv. 327

4. Cerchia del Maestro di Rimini
Vesperbild
1430 circa
alabastro – cm 95 × 83 × 38
Parigi, Musée du Louvre,
Département des Sculptures.
Legs, inv. RF 1807

2. Simone dei Crocifissi
Pietà con il committente Iohannes de Elthinl
1368 circa
tavola – cm 78 × 50
Bologna, Museo Davia Bargellini
(proprietà Fondazione Opera Pia
Davia Bargellini), inv. 173

5. Miniatore parigino
Compianto su Cristo morto
1425-1450 circa
miniatura su pergamena –
mm 175 × 123
Milano, Archivio Storico Civico e
Biblioteca Trivulziana, cod. Triv. 2164

3. Maestro di Rimini
Vesperbild
1430 circa
alabastro – cm 39,7 × 32,6 × 11,4
Londra, Victoria and Albert
Museum, given by Sir Thomas
Barlow, inv. A.28-1960

6. Scultore tedesco
Vesperbild
1420-1430 circa
terracotta – cm 73,5 × 87 × 30
Francoforte sul Meno, Liebieghaus
Skulpturensammlung, inv. 1450

7. Scultore boemo (?)
Vesperbild
1430 circa
pietra calcarea – cm 70 × 85 × 37
Bologna, Basilica di San Domenico,
Museo (proprietà Ministero
dell'Interno, Fondo Edifici di Culto),
inv. 28327

10. Lorenzo di Pietro
detto il Vecchietta
Pietà
1445 circa
legno di noce – cm 96 × 51 × 40
Siena, Arcidiocesi di Siena, Colle
Val d'Elsa e Montalcino, Museo
Diocesano, inv. FPI 0034A

8. Incisore tedesco
Vesperbild
1450 circa
xilografia acquerellata –
mm 168 × 114
Londra, British Museum,
Department of Prints & Drawings,
inv. 1852,0612.28

11. Pietro Vannucci detto il Perugino
*Pietà tra San Gerolamo
e Santa Maria Maddalena*
1473 circa
tela – cm 134 × 171
Perugia, Galleria Nazionale
dell'Umbria, inv. 220

9. Maestro dell'Osservanza
*Pietà con San Sinibaldo
e il committente Peter Volckamer*
1432 circa
tavola – cm 101 × 71
Siena, Banca Monte dei Paschi, inv.
5423

12. Giovanni Bellini
Madonna con il Bambino dormiente
1470 circa
tavola – cm 120 × 63,5
Venezia, Gallerie dell'Accademia,
inv. 200

13. Gerolamo da Treviso il vecchio
Pietà
1495-1497 circa
tavola – cm 76,6 × 87,2
Lovere, Galleria dell'Accademia
Tadini, inv. P 23

16. Orafo lombardo (e intagliatore tedesco?)
Pietà; Resurrezione
1490-1500 circa
argento dorato, smalti e madreperla –
mm 143 × 64
Milano, Museo Poldi Pezzoli,
inv. 572

14. Vittore Carpaccio
Pietà
1485 circa
tavola – cm 26 × 21
collezione privata

17. Maestro ES
Compianto su Cristo morto
1450-1455 circa
bulino – mm 111 × 104
Londra, British Museum,
Department of Prints & Drawings,
inv. 1845,0809.87

15. Pietro Lombardo (?)
Pietà
1490 circa
bronzo – cm 55,9 × 48,7
Londra, Victoria and Albert
Museum, inv. 5469-1859

18. Ercole de' Roberti
Pietà
1475-1480 circa
penna, acquerello e biacca su
carta preparata in ocra rossa –
mm 211 × 212
Londra, British Museum,
Department of Prints & Drawings,
inv. 1892,0411.5

19. Francesco del Cossa
*Pietà con committente in veste
di San Francesco*
1467 circa
tela – cm 62,6 × 99,7
Parigi, Institut de France,
Musée Jacquemart-André,
inv. MJAP-P 2039

22. Laboratorio restauro marmi
dei Musei Vaticani (da Michelangelo
Buonarroti)
Pietà
calco del 1975
gesso – cm 174 × 195 × 70
Città del Vaticano, Musei Vaticani,
inv. 50661

20. Cosmé Tura
Pietà
1460 circa
tavola – cm 47,7 × 33,5
Venezia, Fondazione Musei Civici,
Museo Correr, inv. Cl. I n. 9

23. Marco Dente
Laocoonte
1520-1523 circa
bulino – mm 480 × 327
Roma, Istituto Centrale per la
Grafica (deposito dall'Accademia dei
Lincei), inv. F.C. 30567

21. Seguace di Michelangelo
Buonarroti (Piero d'Argenta?)
Pietà
1497-1499 circa
tavola – cm 134 × 111
Roma, Gallerie Nazionali di Arte
Antica, Palazzo Barberini, inv. 1314

24. Antonio Salamanca (da Nicolas
Béatrizet?)
La Pietà di Michelangelo
1547
bulino – mm 420 × 293
Roma, Istituto Centrale per la
Grafica (deposito dall'Accademia dei
Lincei), inv. F.C. 69838

Bibliografia

100 Bilder 1999
100 Bilder und Objekte. Archäologie und Kunst im Rheinischen Landesmuseum Bonn, catalogo della mostra, a cura di F. G. Zehnder, Köln, Rheinland-Verlag, 1999.

1564/2014. Michelangelo 2014
1564/2014. Michelangelo. Incontrare un artista universale, catalogo della mostra, a cura di C. Acidini, Firenze, Giunti, 2014.

Abiti 2004
M. Abiti, *Il Tempio di San Nicolò a Treviso*, Treviso, Vianello Libri, 2004.

Agosti 1986
G. Agosti, *La fama di Cristoforo Solari*, in «Prospettiva», 46, 1986, pp. 57-65.

Agosti 1992
G. Agosti, *Michelangelo e i Lombardi, a Roma, attorno al 1500*, in «Studies in the History of Art», XXXIII, 1992, pp. 19-36.

Agosti 1998
G. Agosti, *Scrittori che parlano di artisti, tra Quattro e Cinquecento in Lombardia*, in *Quattro pezzi lombardi (per Maria Teresa Binaghi)*, Brescia, Edizioni L'Obliquo, 1998, pp. 39-93.

Agosti 2005
G. Agosti, *Su Mantegna I. La storia dell'arte libera la testa*, Milano, Feltrinelli, 2005.

Agosti, Hirst 1996
G. Agosti, M. Hirst, *Michelangelo, Piero d'Argenta and the 'Stigmatisation of St. Francis'*, in «The Burlington Magazine», CXXXVIII, 1996, pp. 683-684.

Agosti, Stoppa 2015
G. Agosti, J. Stoppa, *Atlante divulgativo*, in *Michelangelo. La Pietà Rondanini nell'Ospedale Spagnolo del Castello Sforzesco*, a cura di C. Salsi, Milano, Officina Libraria, 2015, pp. 49-80.

Agosti, Stoppa 2017
G. Agosti, J. Stoppa, *La Sibilla di Panzù*, in *Un seminario sul manierismo in Lombardia*, a cura di G. Agosti, J. Stoppa, Milano, Officina Libraria, 2017, pp. 7-48.

Agostini, Ciammitti 1985
G. Agostini, L. Ciammitti, *Niccolò dell'Arca. Il Compianto sul Cristo di Santa Maria della Vita*, in *Tre artisti nella Bologna dei Bentivoglio*, catalogo della mostra, Bologna, Nuova Alfa Editoriale, 1985, pp. 225-362.

Alberti 2015
A. Alberti, *D'après Michelangelo. II. La fortuna di Michelangelo nelle stampe del Cinquecento*, catalogo della mostra in formato digitale, Venezia, Marsilio, 2015.

Alberti, Monferrini 2017
A. Alberti, S. Monferrini, *Nuovi documenti per i Bonacina incisori, editori e mercanti d'arte*, in «Rassegna di Studi e di Notizie», XXXIX, 2017, pp. 63-93.

Alberti, Rovetta, Salsi 2015
A. Alberti, A. Rovetta, C. Salsi, *D'après Michelangelo. I. La fortuna dei disegni per gli amici nelle arti del Cinquecento*, catalogo della mostra, Venezia, Marsilio, 2015.

Allen 1999
D. Allen, *Some Observations on Ercole de' Roberti as Painter-Draughtsman*, in *Ercole de' Roberti: The Renaissance in Ferrara*, catalogo della mostra, a cura di D. Allen, L. Syson, London, The Burlington Magazine Publications Ltd., 1999, pp. XV-XXIV.

Arrigoni, Bertarelli 1936
P. Arrigoni, A. Bertarelli, *Rappresentazioni popolari d'immagini venerate nelle chiese della Lombardia, conservate nella Raccolta delle Stampe di Milano*, Milano, A. Bertarelli, 1936.

Bacchi 1990
A. Bacchi, *Dipinti ferraresi dalla Collezione Vittorio Cini*, Vicenza, Neri Pozza, 1990.

Bagnoli 1989
A. Bagnoli, *Donatello e Siena: alcune considerazioni sul Vecchietta e su Francesco di Giorgio*, in *Donatello-Studien*, München, Bruckmann, 1989, pp. 278-291.

Bambach 2017
C. C. Bambach, *Michelangelo: Divine Draftsman and Designer*, in *Michelangelo: Divine Draftsman and Designer*, catalogo della mostra, a cura di C. C. Bambach, New York, The Metropolitan Museum of Art, 2017, pp. 15-265.

Barbieri 1999
G. Barbieri, *Monte Berico*, Crocetta del Montello, Terra Ferma, 1999.

Bardsley 2003
S. Bardsley, *Sin, Speech, and Scolding in Late Medieval England*, in *Fama. The Politics of Talk and Reputation in Medieval Europe*, a cura di T. Fenster, D. Lord Smail, Ithaca-London, Cornell University Press, 2003, pp. 145-164.

Barry 2017
C. Barry, *Examining Michelangelo's* Torment of Saint Anthony: *New Revelations*, in *Michelangelo: Divine Draftsman and Designer*, catalogo della mostra, a cura di C. C. Bambach, New York, The Metropolitan Museum of Art, 2017, pp. 266-267.

Bartolomeo 2014
Bartolomeo Cincani detto Montagna. Dipinti, a cura di M. Lucco, Treviso, ZeL Edizioni, 2014.

Barzaghi 2016
G. Barzaghi, *Eckhart, Susone e Taulero: la predicazione mistica*, in *L'Ordine dei Predicatori. I Domenicani: storia, figure e istituzioni (1216-2016)*, a cura di G. Festa, M. Rainini, Bari, Laterza, 2016, pp. 121-139.

Baskins 1989
C. L. Baskins, *Jacopo del Sellaio's 'Pietà' in S. Frediano*, in «The Burlington Magazine», CXXXI, 1989, pp. 474-479.

Baum 1921
J. Baum, *Gotische Bildwerke Schwabens*, Augsburg-Stuttgart, Benno Filser, 1921.

Baxandall 1995
M. Baxandall, *Intento espositivo. Alcune precondizioni per mostre di oggetti espressamente culturali*, in *Culture in mostra. Poetiche e politiche dell'allestimento museale*, a cura di I. Karp, S. D. Lavine, Bologna, CLUEB, 1995, pp. 15-26.

Bellosi 1987
L. Bellosi, *Giovanni di Piamonte e gli affreschi di Piero ad Arezzo*, in «Prospettiva», 50, 1987, pp. 15-35.

Bellosi 1989
L. Bellosi, *La rinascita della scultura in terracotta nel Quattrocento*, in *Niccolò dell'Arca. Seminario di studi*, atti del convegno, a cura di G. Agostini, L. Ciammitti, Bologna, Nuova Alfa Editoriale, 1989, pp. 3-24.

Bellosi 2007
L. Bellosi, *Considerazioni sulla mostra del Perugino. I*, in «Prospettiva», 125, 2007, pp. 67-87.

Belting 1981
H. Belting, *L'arte e il suo pubblico. Funzioni e forme delle antiche immagini della Passione*, Bologna, Nuova Alfa Editoriale, 1986 (ed. or. Berlin, Gebr. Mann Verlag, 1981).

Belting 1985
H. Belting, *Giovanni Bellini. La Pietà*, Modena, Franco Cosimo Panini, 1996 (ed. or. München, Fischer Taschenbuch Verlag, 1985).

Bernini 2004
R. Bernini, Vesperbilder *in territorio bellunese*, in *A nord di Venezia. Scultura e pittura nelle vallate dolomitiche tra Gotico e Rinascimento*, catalogo della mostra, a cura di A. M. Spiazzi et al., Cinisello Balsamo, Silvana Editoriale, 2004, pp. 299-303.

Boskovits 1966
M. Boskovits, *Giovanni da Milano*, Firenze, Sadea/Sansoni, 1966.

Bramantino 2012
Bramantino a Milano, catalogo della mostra, a cura di G. Agosti, J. Stoppa, M. Tanzi, Milano, Officina Libraria, 2012.

Buttà 2009
L. Buttà, *Frammenti di cultura napoletana post-giottesca nella Sicilia chiaromontana: tappe di un viaggio*, in *El Trecento en obres. Art de Catalunya i art d'Europa al segle XIV*, a cura di R. Alcoy, Barcelona, Universitat de Barcelona, 2009, pp. 161-183.

Carpaccio 1993
Carpaccio, Bellini, Tura, Antonello e altri restauri quattrocenteschi della Pinacoteca del Museo Correr, catalogo della mostra, a cura di A. Dorigato, Milano, Electa, 1993.

Casalini 1971
E. Casalini, *La SS. Annunziata di Firenze. Studi e documenti sulla chiesa e il convento*, Firenze, Convento della SS. Annunziata, 1971.

Casciaro 2004
R. Casciaro, *Apporti esterni e identità locale nella scultura lignea lucana del Quattrocento e del pri-*

mo Cinquecento, in Scultura lignea in Basilicata, catalogo della mostra, a cura di P. Venturoli, Torino, Allemandi, 2004, pp. 27-40.

CASTRI 2002

S. Castri, In Virginis gremium repositus. Dall'archetipo del Vesperbild alla 'Bella Pietà': un excursus non solo alpino, in Il Gotico nelle Alpi, catalogo della mostra, a cura di E. Castelnuovo, F. De Gramatica, Trento, Provincia Autonoma di Trento, 2002, pp. 170-185.

CASTRI 2012

S. Castri, Il Vesperbild in cartapesta della collezione Forese: una variante 'povera' delle Pietà eroiche altorenane?, in Cartapesta e scultura polimaterica, atti del convegno, a cura di R. Casciaro, Galatina, Congedo, 2012, pp. 37-56.

CAVAZZINI 2004

L. Cavazzini, Il crepuscolo della scultura medievale in Lombardia, Firenze, Leo S. Olschki Editore, 2004.

CAVAZZINI, GALLI 2007

L. Cavazzini, A. Galli, Scultori a Ferrara al tempo di Nicolò III, in Crocevia estense. Contributi per la storia della Scultura a Ferrara nel XV secolo, a cura di G. Gentilini, L. Scardino, Ferrara, Liberty House, 2007, pp. 6-88.

CECCHI 1984

A. Cecchi, La Pietà del Perugino per San Giusto degli Ingesuati, in Restauri: La Pietà del Perugino e la Madonna delle arpie di Andrea del Sarto, catalogo della mostra, Firenze, Centro Di, 1984, pp. 29-35.

CECCHI 2005

A. Cecchi, Botticelli, Milano, Federico Motta Editore, 2005.

CERIANA 2002

M. Ceriana, La Pietà Rondanini: un capolavoro da spostare?, in «Casabella», 703, 2002, pp. 7-9.

CHAPMAN, FAIETTI 2010

H. Chapman, M. Faietti, Fra Angelico to Leonardo. Italian Renaissance Drawings, catalogo della mostra, London, The British Museum Press, 2010.

CHRISTIANSEN, GALLAGHER 2009

K. Christiansen, M. Gallagher, Michelangelo's First Painting, Trento, Tipografia Editrice Temi, 2009.

CIAMMITTI 1985

L. Ciammitti, Ercole Roberti. La cappella Garganelli in San Pietro, in Tre artisti nella Bologna dei Bentivoglio, catalogo della mostra, Bologna, Nuova Alfa Editoriale, 1985, pp. 117-223.

CIAMMITTI 1999

L. Ciammitti, Note biografiche su Giovan Francesco Aldrovandi, in Giovinezza di Michelangelo, catalogo della mostra, a cura di K. Weil-Garris Brandt et al., Firenze, ArtificioSkira, 1999, pp. 139-141.

CLARK 1956

K. Clark, The Nude. A Study of Ideal Art, London, J. Murray, 1956.

COLONNA 1556

V. Colonna, Pianto della marchesa di Pescara sopra la passione di Christo. Oratione della medesima,

sopra l'Ave Maria. Oratione fatta il Venerdì santo, sopra la passione di Christo, Venezia, Paolo Manuzio, 1556.

CONDIVI 1553

A. Condivi, Vita di Michelagnolo Buonarroti [1553], a cura di G. Nencioni, Firenze, S.P.E.S., 1998.

CONTE 2012-2013

S. Conte, Nuovi studi sulla chiesa milanese di Santa Maria della Consolazione (al Castello), tesi di diploma, Università degli Studi di Milano, Scuola di Specializzazione in Beni Storici e Artistici, a.a. 2013-2014 (relatore R. Sacchi).

CONTI 1986

A. Conti, Michelangelo e la pittura a fresco. Tecnica e conservazione della Volta Sistina, Firenze, La Casa Usher, 1986.

CORBO 1965

A. M. Corbo, Documenti romani su Michelangelo, in «Commentari», n.s., 16, 1965, pp. 98-151.

Cortili aperti 1997

Cortili aperti. 25 maggio 1997. Milano, Milano, Associazione Dimore Storiche Italiane, 1997.

Cosmé Tura 2007

Cosmè Tura e Francesco del Cossa. L'arte a Ferrara nell'età di Borso d'Este, catalogo della mostra, a cura di M. Natale, Ferrara, Ferrara Arte, 2007.

DACOS 1993

N. Dacos, Il "Criado" portoghese di Michelangelo: il maestro della Madonna di Manchester, ossia Pedro Nunyes, in «Bollettino d'Arte», 77, 1993, pp. 29-46.

Da Jacopo 2010

Da Jacopo della Quercia a Donatello. Le arti a Siena nel primo Rinascimento, catalogo della mostra, a cura di M. Seidel et al., Milano, Federico Motta Editore, 2010.

DALVIT 2017

G. Dalvit, The Iconography of Vecchietta's Bronze Christ in Siena, in «Journal of the Warburg and Courtauld Institutes», LXXX, 2017, pp. 29-59.

Da Modigliani 1991

Da Modigliani a Fontana. Disegno italiano del XX secolo nelle Civiche Raccolte d'Arte di Milano, catalogo della mostra, a cura di M. Precerutti Garberi, Milano, Mazzotta, 1991.

DANESI SQUARZINA 2018

S. Danesi Squarzina, Michelangelo, un Cristo nudo per Santa Maria sopra Minerva: prima e seconda versione, in L'eterno e il tempo tra Michelangelo e Caravaggio, catalogo della mostra, a cura di A. Paolucci et al., Cinisello Balsamo, Silvana Editoriale, 2018, pp. 55-63.

DE FRANCOVICH 1938

G. de Francovich, L'origine e la diffusione del crocifisso gotico doloroso, in «Kunstgeschichtliches Jahrbuch der Bibliotheca Hertziana», II, 1938, pp. 143-261.

DEHIO 1923

G. Dehio, Geschichte der deutschen Kunst, I-II, Berlin-Leipzig, Walter De Gruyter & Co., 1923.

DEL MONACO 2018

G. Del Monaco, Simone di Filippo detto "dei Cro-

cifissi". Pittura e devozione nel secondo Trecento bolognese, Padova, Il Poligrafo, 2018.

DE MARCEPALLO [1508 circa]

J. de Marcepallo, Tractatus in elucidationem cuiusdam hostiae in urbe inclita Berna, [Basilea, Petri o Lamparter], 1508 circa].

DE MARCHI 2012

A. De Marchi, Im Laufe der Zeit: la "Pietà" di Giovanni Bellini, in Giovanni Bellini. Dall'icona alla storia, catalogo della mostra, a cura di A. De Marchi, A. Di Lorenzo, L. Galli Michero, Torino, Umberto Allemandi, 2012, pp. 17-31.

DE MARCHI 2014

A. De Marchi, Giovanni Bellini, Andrea Mantegna e la tenerezza della Madre, in Giovanni Bellini. La nascita della pittura devozionale umanistica. Gli studi, catalogo della mostra, a cura di E. Daffra, Milano, Skira, 2014, pp. 73-82.

DE NICOLÒ SALMAZO 1993

A. De Nicolò Salmazo, Il soggiorno padovano di Andrea Mantegna, Padova, Editoriale Programma, 1993.

DE TOLNAY 1969-1971

C. de Tolnay, Michelangelo, I-V, Princeton, Princeton University Press, 1969-1971.

Die mythologischen 1975

Die mythologischen Sarkophage. Sechster Teil. Meleager, a cura di G. Koch, Berlin, Gebr. Mann Verlag, 1975.

Die Parler 1978

Die Parler und der schöne Stil 1350-1400. Europäische Kunst unter den Luxemburgern, I-III, catalogo della mostra, a cura di A. Legner, Köln, Museen der Stadt Köln, 1978.

DI MAURO 2016

G. S. Di Mauro, Ragionamenti intorno alla paternità e alle caratteristiche del piedistallo della Pietà Rondanini di Michelangelo nella sua prima esposizione a Milano presso la Cappella Ducale del Castello Sforzesco nel 1952-1953, in «Rassegna di Studi e di Notizie», XXXVIII, 2016, pp. 57-78.

Disegni 1971

Disegni contemporanei nelle Civiche Raccolte d'Arte, catalogo della mostra, Milano, Alfieri & Lacroix, 1971.

DODGSON 1903-1911

C. Dodgson, Catalogue of Early German and Flemish Woodcuts Preserved in the Department of Prints and Drawings in the British Museum, I-II, London, British Museum, 1903-1911.

Domenico 2006

Domenico di Paris e la scultura a Ferrara nel Quattrocento, catalogo della mostra, a cura di V. Sgarbi, Milano, Skira, 2006.

DUNKELMAN 2014

M. Dunkelman, What Michelangelo learned in Bologna, in «Artibus et Historiae», 69, 2014, pp. 107-135.

Einblicke – Ausblicke 2014

Einblicke – Ausblicke. Spitzenwerke im neuen

LWL-Museum für Kunst und Kultur in Münster, catalogo della mostra, a cura di H. Arnold, Köln, Wienand Verlag, 2014.

El Renacimiento 2001

El Renacimiento mediterráneo. Viajes de artistas e itinerarios de obras entre Italia, Francia y España en el siglo XV, catalogo della mostra, a cura di M. Natale, Madrid, Museo Thyssen-Bornemisza, 2001.

ERVAS 2012

P. Ervas, *Un'aggiunta a Girolamo da Treviso il Vecchio*, in «Nuovi Studi», 18, 2012, pp. 129-132.

FALCINELLI 2017

R. Falcinelli, *Cromorama. Come il colore ha cambiato il nostro sguardo*, Torino, Einaudi, 2017.

FALCONE 2010

M. Falcone, *La giovinezza dorata di Sano di Pietro. Un nuovo documento per la 'Natività della Vergine' di Asciano*, in «Prospettiva», 138, 2010, pp. 28-34.

FENICHEL 2017

E. A. Fenichel, *Michelangelo's Pietà as Tomb Monument: Patronage, Liturgy, and Mourning*, in «Renaissance Quarterly», LXX, 3, 2017, pp. 862-896.

FERRETTI 1991

M. Ferretti, s.v. *Domenico di Paris*, in *Dizionario Biografico degli Italiani*, XL, Roma, Istituto dell'Enciclopedia Italiana, 1991, pp. 648-651.

FERRETTI 2007

M. Ferretti, *La scultura: un filo tra le opere in mostra*, in *Cosmè Tura e Francesco del Cossa. L'arte a Ferrara nell'età di Borso d'Este*, catalogo della mostra, a cura di M. Natale, Ferrara, Ferrara Arte, 2007, pp. 125-141.

FIORIO 2004

M. T. Fiorio, *La Pietà Rondanini*, Milano, Mondadori Electa, 2004.

GARDELLI 2007

G. Gardelli, *L'eredità di Michelangelo e la "Pietà" ritrovata di Andrea Bregno*, Roma, Erreciemme, 2007.

GARIBALDI 2015

V. Garibaldi, *Galleria Nazionale dell'Umbria. Catalogo generale. 1. Dipinti e sculture dal XIII al XV secolo*, Perugia, Quattroemme, 2015.

GASPARINI 1977a

P. Gasparini, *Compendio di notizie sulla chiesa di San Martino a Piove di Sacco. (Con qualche informazione sulla Chiesuola e sulla Saccisica). 4*, in «Padova e la sua provincia», XXIII, 8-9, 1977, pp. 21-27.

GASPARINI 1977b

P. Gasparini, *Compendio di notizie sulla chiesa di San Martino a Piove di Sacco. (Con qualche informazione sulla Chiesuola e sulla Saccisica). 5*, in «Padova e la sua provincia», XXIII, 11-12, 1977, pp. 20-25.

GAYE 1839-1840

G. Gaye, *Carteggio inedito d'artisti dei secoli XIV, XV, XVI, pubblicato ed illustrato con documenti pure inediti*, I-III, Firenze, Giuseppe Molini, 1839-1840.

GELENIUS 1645

A. Gelenius, *De admiranda, sacra, et civili magnitudine Coloniae Claudiae Agrippinensis Augustae Ubiorum Urbis*, Coloniae Agrippinae, apud Iodocum Kalcovium, 1645.

GENTILE 2002

G. Gentile, *Migrazione e ricezione di immagini*, in *Il Gotico nelle Alpi*, catalogo della mostra, a cura di E. Castelnuovo, F. De Gramatica, Trento, Provincia Autonoma di Trento, 2002, pp. 156-169.

GENTILINI 1992

G. Gentilini, *I Della Robbia. La scultura invetriata nel Rinascimento*, I-II, Firenze, Cantini, 1992.

GINZBURG 1991

C. Ginzburg, *Ancora su Piero della Francesca e Giovanni di Francesco*, in «Paragone», 499, 1991, pp. 23-32.

Giovanni Bellini 2012

Giovanni Bellini. Dall'icona alla storia, catalogo della mostra, a cura di A. De Marchi, A. Di Lorenzo, L. Galli Michero, Torino, Umberto Allemandi, 2012.

Giovanni Bellini 2014

Giovanni Bellini. La nascita della pittura devozionale umanistica. Gli studi, catalogo della mostra, a cura di E. Daffra, Milano, Skira, 2014.

Gli Scaligeri 1988

Gli Scaligeri 1277-1387, catalogo della mostra, a cura di G. M. Baranini, Verona, Arnoldo Mondadori Editore, 1988.

GRIMME 1965

E. G. Grimme, *Ein Vesperbild in Aachener Privatbesitz*, in «Aachener Kunstblätter», 30, 1965, p. 19.

GROSSMANN 1970

D. Grossmann, *Werkverzeichnis*, in *Stabat Mater. Maria unter dem Kreuz in der Kunst um 1400*, catalogo della mostra, Salzburg, Salzburger Domkapitel, 1970, pp. 49-113.

HEINZ, SCHMID 2007

S. Heinz, W. Schmid, *Die Konkurrenz der Gruppen: Visualisierungsstrategien von Erzbischöfen und Domkanonikern im Mainzer Dom*, in *Creating Identities. Die Funktion von Grabmalen und öffentlichen Denkmalen in Gruppenbildungsprozessen*, atti del convegno, Kassel, Arbeitsgemeinschaft Friedhof und Denkmal, 2007, pp. 85-97.

HERZIG 2015

T. Herzig, *Genuine and Fraudulent Stigmatics in Sixteenth-Century Europe*, in *Dissimulation and Deceit in Early Modern Europe*, a cura di M. Eliav-Feldon, T. Herzig, Houndmills, Palgrave MacMillan, 2015, pp. 142-164.

HIERONYMUS 1984

F. Hieronymus, *Oberrheinische Buchillustration 2. Basler Buchillustration 1500-1545*, catalogo della mostra, Basel, Publikationen der Universitätsbibliothek, 1984.

HIND 1935

A. M. Hind, *An introduction to a history of woodcut with a detailed survey of work done in fifteenth century*, I-II, London, Constable and Company Ltd., 1935.

HIRST 1985

M. Hirst, *Michelangelo, Carrara, and the Marble for the Cardinal's Pietà*, in «The Burlington Magazine», CXXVII, 1985, pp. 154-159.

HIRST 2011

M. Hirst, *Michelangelo. The Achievement of Fame. 1475-1534*, New Haven-London, Yale University Press, 2011.

HIRST, DUNKERTON 1994

M. Hirst, J. Dunkerton, *Making & Meaning. The Young Michelangelo*, catalogo della mostra, London, National Gallery Publications, 1994.

HÖFLER 2007

J. Höfler, *Der Meister E.S. Ein Kapitel europäischer Kunst des 15. Jahrhunderts*, I-II, Regensburg, Schnell & Steiner, 2007.

IBSEN 2016

M. Ibsen, *Levigata ut auro: scultura lignea del Quattrocento nelle valli bergamasche*, in *Pietro Bussolo. Scultore a Bergamo nel segno del Rinascimento*, catalogo della mostra, a cura di M. Albertario *et al.*, Bergamo, Lubrina Editore, 2016, pp. 38-49.

I contratti 2005

I contratti di Michelangelo, a cura di L. Bardeschi Ciulich, Firenze, S.P.E.S., 2005.

Il carteggio 1965-1983

Il carteggio di Michelangelo, a cura di P. Barocchi, R. Ristori, I-V, Firenze, Sansoni e S.P.E.S., 1965-1983.

Il carteggio indiretto 1988-1995

Il carteggio indiretto di Michelangelo, a cura di P. Barocchi *et al.*, I-II, Firenze, S.P.E.S., 1988.

Il Giardino 1992

Il Giardino di San Marco. Maestri e compagni del giovane Michelangelo, catalogo della mostra, a cura di P. Barocchi, Cinisello Balsamo, Silvana Editoriale, 1992.

Il potere 2001

Il potere, le arti, la guerra. Lo splendore dei Malatesta, catalogo della mostra, a cura di A. Donati, Milano, Electa, 2001.

Il Tempio 2010

Il Tempio Malatestiano a Rimini, a cura di A. Paolucci, I-II, Modena, Franco Cosimo Panini, 2010.

I restauri 2000

I restauri del Tadini, catalogo della mostra, Lovere, Accademia Tadini, 2000.

JANSON 1952

H. W. Janson, *Apes and ape lore in the Middle Ages and the Renaissance*, London, The Warburg Institute, 1952.

JOPEK 1988

N. Jopek, *Studien zur deutschen Alabasterplastik des 15. Jahrhunderts*, Worms, Wernersche Verlagsgesellschaft, 1988.

JUŘEN 1974

V. Juřen, *Fecit–Faciebat*, in «Revue de l'Art», XXVI, 1974, pp. 27-30.

KAMMEL 2000

F. M. Kammel, *Kunst in Erfurt 1300–1360. Studien zu Skulptur und Tafelmalerei*, Berlin, Lukas Verlag, 2000.

KAMMEL 2007

F. M. Kammel, *Die mitteldeutschen Vesperbilder und die Iglauer Pietà: Eine Revision unseres Kenntnisstandes*, in *Die Pietà aus Jihlava/Iglau und die heroischen Vesperbilder des 14. Jahrhunderts*, a cura di M. Bartlová, Brno, Matice moravská, 2007, pp. 43-57.

KAUFFMANN 1935

H. Kauffmann, *Donatello. Eine einführung in sein Bilden und Denken*, Berlin, G. Grote'sche Verlagsbuchhandlung, 1935.

Konrad Witz 2011

Konrad Witz, catalogo della mostra, a cura di B. Brinkmann *et al.*, Ostfildern, Hatje Cantz, 2011.

KÖRTE 1937

W. Körte, *Deutsche Vesperbilder in Italien*, in «Kunstgeschichtliches Jahrbuch der Bibliotheca Hertziana», I, 1937, pp. 1-138.

KRÖNIG 1962

W. Krönig, *Rheinische Vesperbilder aus Leder und ihr Umkreis*, in «Wallraf-Richartz Jahrbuch», XXIV, 1962, pp. 97-192.

Kunstsinn 2002

Kunstsinn der Gründerzeit. Meisterzeichnungen der Sammlung Adolf von Beckerath, catalogo della mostra, a cura di H.-Th. Schulze Altcappenberg *et al.*, Berlin, Preussischer Kulturbesitz-G + H Verlag, 2002.

KUTAL 1946

A. Kutal, *Le 'belle' Pietà italiane*, in «Bollettino dell'Istituto Storico Cecoslovacco in Roma», II, 2, 1946, pp. 6-30.

KUTAL 1972

A. Kutal, *Erwägungen über das Verhältnis der horizontalen und schönen Pietàs*, «Umění», XX, 1972, pp. 485-520.

La fortuna 2014

La fortuna dei primitivi. Tesori d'arte dalle collezioni italiane fra Sette e Ottocento, catalogo della mostra, a cura di A. Tartuferi, G. Tormen, Firenze, Giunti, 2014.

La Galleria 2016

La Galleria di Palazzo Cini. Dipinti, sculture, oggetti d'arte, a cura di A. Bacchi, A. De Marchi, Venezia, Marsilio, 2016.

La libreria 1998

La libreria Piccolomini nel Duomo di Siena, a cura di S. Settis, D. Toracca, Modena, Franco Cosimo Panini, 1998.

LAMO 1560

P. Lamo, *Graticola di Bologna* [1560], a cura di M. Pigozzi, Bologna, CLUEB, 1996.

LANDUCCI 1450-1516

L. Landucci, *Diario fiorentino dal 1450 al 1516 continuato da un anonimo fino al 1542* [1450-1516], a cura di I. Del Badia, Firenze, G. C. Sansoni, 1883.

LATUADA 1737-1738

S. Latuada, *Descrizione di Milano ornata con molti disegni in rame delle Fabbriche più cospicue che si trovano in questa metropoli*, I-V, Milano, Giuseppe Cairoli, 1737-1738.

Le chiese 2006

Le chiese di Milano, a cura di M.T. Fiorio, Milano, Electa, 2006.

LEHRS 1908-1934

M. Lehrs, *Geschichte und kritische Katalog des deutschen, niederländischen und französischen Kupferstichs im XV Jahrhundert*, I-IX, Wien, Gesellschaft für Vervielfältigende Kunst, 1908-1934.

Le postille 2015

Le postille di padre Sebastiano Resta ai due esemplari delle «Vite» di Giorgio Vasari nella Biblioteca Apostolica Vaticana, a cura di B. Agosti, S. Prosperi Valenti Rodinò, Città del Vaticano, Biblioteca Apostolica Vaticana, 2015.

Les sculptures 2006

Les sculptures européennes du musée du Louvre, a cura di G. Bresc-Bautier, Paris, Musée du Louvre Éditions, 2006.

LIEBETRAU 2010

K. Liebetrau, *Die Pietà Roettgen. Technologische Untersuchung zu Herstellungstechnik, ursprünglichem Erscheinungsbild und Bezügen zu Vergleichsobjekten*, in *Frühe rheinische Vesperbilder und ihr Umkreis*, a cura di U. Bergmann, München, Siegl, 2010, pp. 7-22.

LIEBMANN 1977

M. J. Liebmann, *Michelangelo und das nichtklassische künstlerische Erbe*, in «Konsthistorisk tidskrift», XLVI, 1977, pp. 1-13.

LONGHI 1934

R. Longhi, *Officina ferrarese* [1934], in *Officina ferrarese. 1934. Seguita dagli Ampliamenti 1940 e dai Nuovi Ampliamenti 1940-55*, Firenze, Sansoni, 1980, pp. 5-109.

LONGHI 1934-1935

R. Longhi, *La pittura del Trecento nell'Italia settentrionale* [1934-1935], in *Lavori in Valpadana dal Trecento al primo Cinquecento 1934-1964*, Firenze, Sansoni, 1973, pp. 3-90.

LONGHI 1940

R. Longhi, *Ampliamenti nell'Officina ferrarese* [1940], in *Officina ferrarese. 1934. Seguita dagli Ampliamenti 1940 e dai Nuovi Ampliamenti 1940-55*, Firenze, Sansoni, 1980, pp. 123-171.

LONGHI 1965

R. Longhi, *Una riconsiderazione dei primitivi italiani a Londra* [1965], in *'Giudizio sul Duecento' e ricerche sul Trecento nell'Italia centrale 1939-1970*, Firenze, Sansoni, 1974, pp. 175-181.

LOTZ 1965

W. Lotz, *Der Bildhauer Aegidius von Wiener Neustadt in Padua*, in *Studien zur Geschichte der Europäischen Plastik. Festschrift Theodor Müller*, München, Hirmer Verlag, 1965, pp. 105-112.

LUCIDI 2014

D. Lucidi, *Niccolò Baroncelli tra Firenze, Padova e Ferrara: due rilievi in terracotta ed altre aggiunte*, in «Commentari d'arte», XX, 58-59, 2014, pp. 34-52.

L'ultimo Michelangelo 2011

L'ultimo Michelangelo. Disegni e rime intorno alla Pietà Rondanini, catalogo della mostra, a cura di A. Rovetta, Cinisello Balsamo, Silvana Editoriale, 2011.

L'ultimo Tiziano 2008

L'ultimo Tiziano e la sensualità della pittura, catalogo della mostra, a cura di S. Ferino-Pagden, Venezia, Marsilio, 2008.

MAEK-GÉRARD 1981

M. Maek-Gérard, *Liebieghaus – Museum alter Plastik. Nachantike grossplastische Bildwerke. Band II. Italien, Frankreich und Niederlande 1380–1530/40*, Melsungen, Verlag Gutenberg, 1981.

MAEK-GÉRARD 1985

M. Maek-Gérard, *Liebieghaus – Museum alter Plastik. Nachantike grossplastische Bildwerke. Band III. Die deutschsprachigen Länder ca. 1380–1530/40*, Melsungen, Verlag Gutenberg, 1985.

MANCA 1985

J. Manca, *An altar-piece by Ercole de' Roberti reconstructed*, in «The Burlington Magazine», CXXVII, 1985, pp. 521-524.

MANCA 1986

J. Manca, *Ercole de' Roberti's Garganelli Chapel Frescoes: A Reconstruction and Analysis*, in «Zeitschrift für Kunstgeschichte», XLIX, 1986, pp. 147-164.

MANCA 1992

J. Manca, *The Art of Ercole de' Roberti*, Cambridge, Cambridge University Press, 1992.

MANCINI, PENNY 2016

G. Mancini, N. Penny, *National Gallery Catalogues. The Sixteenth Century Italian Paintings. Volume III. Bologna and Ferrara*, London, National Gallery Company, 2016.

MARIANI 1942

V. Mariani, *Michelangelo*, Torino, UTET, 1942.

MARKHAM SCHULZ 2015

A. Markham Schulz, *The Sculpture of Tullio Lombardo*, Turnhout, Brepols, 2014.

Materia 2011

Materia światła i ciała, Alabaster w rzeźbie niderlandzkiej XVI-XVII wieku. Matter of light and flesh. Alabaster in the Netherlandish sculpture of the 16th and 17th centuries, catalogo della mostra, a cura di J. Kriegseien, Gdańsk, Muzeum Narodowe w Gdańsku, 2011.

MEISS 1936

M. Meiss, *The Madonna of Humility*, in «The Art Bulletin», XVIII, 1936, pp. 435-465.

MEISS 1946

M. Meiss, *Italian Primitives at Konopiště*, in «The Art Bulletin», XXVIII, 1946, pp. 1-16.

MENATO 2016

S. Menato, *Per la giovinezza di Carpaccio*, Padova, Padova University Press, 2016.

MENATO 2018
S. Menato, *Qualche conferma per un'opera devozionale di Carpaccio*, in *Pregare in casa. Oggetti e documenti della pratica religiosa tra Medioevo e Rinascimento*, a cura di G. Baldissin Molli *et al.*, Roma, Viella, 2018, pp. 195-209.

MEZZANOTTE, BASCAPÈ 1968
P. Mezzanotte, G. C. Bascapè, *Milano nell'arte e nella storia*, a cura di G. Mezzanotte, Milano-Roma, Carlo Bestetti Edizioni d'Arte, 1968.

MIARELLI MARIANI 2005
I. Miarelli Mariani, *Le illustrazioni per l'Histoire de l'Art par les monumens di Jean-Baptiste Séroux d'Agincourt*, in *Antonio Canova. La cultura figurativa e letteraria dei grandi centri italiani. 1. Venezia e Roma*, atti del convegno, a cura di F. Mazzocca, G. Venturi, Bassano del Grappa, Istituto di Ricerca per gli studi su Canova e il Neoclassicismo, 2005, pp. 115-130.

Michelangelo 1987
Michelangelo e l'arte classica, catalogo della mostra, a cura di G. Agosti, V. Farinella, Firenze, Cantini Edizioni d'Arte, 1987.

Michelangelo 2017
Michelangelo & Sebastiano, catalogo della mostra, a cura di M. Wivel, London, National Gallery Company, 2017.

Michelangelo 2018
Michelangelo e Iacopo Galli nella Roma dei Borgia. Le Fonti. 1496-1501, a cura di E. Lo Sardo, M. A. Quesada, Roma, De Luca Editori d'Arte, 2018.

MIDDELDORF 1938
U. Middeldorf, *Kunstgeschichtliches Jahrbuch der Bibliotheca Hertziana* [1938], in *Raccolta di Scritti that is Collected Writings. I. 1924-1938*, Firenze, S.P.E.S., 1979-1980, pp. 415-437.

MIDDELDORF 1962
U. Middeldorf, *Un rame inciso del Quattrocento* [1962], in *Raccolta di Scritti that is Collected Writings. II. 1939-1973*, Firenze, S.P.E.S., 1980, pp. 275-285.

Mittelalterliche 1924
Mittelalterliche Kunst des Oberrheins, catalogo della mostra, Freiburg, Urban-Verlag, 1924.

MOCERI 2000
S. Moceri, *L'impegno e la passione di Costantino Baroni per il "recupero" del Museo d'Arte Antica al Castello Sforzesco*, in «Rassegna di Studi e di Notizie», XXIV, 2000, pp. 133-154.

MOCHI ONORI, VODRET 2008
L. Mochi Onori, R. Vodret, *Galleria Nazionale d'Arte Antica. Palazzo Barberini. I dipinti. Catalogo sistematico*, Roma, «L'Erma» di Bretschneider, 2008.

MOSCHINI MARCONI 1955
S. Moschini Marconi, *Gallerie dell'Accademia di Venezia. Opere d'arte dei secoli XIV e XV*, Roma, Istituto Poligrafico dello Stato, 1955.

MÜLLER 1935
C. T. Müller, *Mittelalterliche Plastik Tirols. Von der Frühzeit bis zur Zeit Michael Pachers*, Berlin, Verein für Kunstwissenschaft, 1935.

MÜLLER 1937
C. T. Müller, *Werner Körte, Deutsche Vesperbilder in Italien. (Kunstgeschichtliches Jahrbuch der Bibliotheca Hertziana I, 1937)*, in «Zeitschrift für Kunstgeschichte», VI, 1937, pp. 391-394.

MÜLLER 1966
C. T. Müller, *Sculpture in the Netherlands, Germany, France and Spain: 1400 to 1500*, Harmondsworth, Penguin Books, 1966.

MURNER 1509
T. Murner, *De quattuor heresiarchis ordinis Praedicatorum de Observantia nuncupatorum, apud Svitenses in civitate Bernensi combustis. Anno Christi M. D. IX.*, [Strassburg, Johann Prüss, 1509].

Museo 2013
Museo d'Arte Antica del Castello Sforzesco. Scultura lapidea. Tomo secondo, a cura di M. T. Fiorio, Milano, Mondadori Electa, 2013.

NANNI 2007
F. Nanni, *Il Maestro di Rimini: una traccia*, in «Romagna arte e storia», 80, 2007, pp. 27-42.

NANNI 2008
F. Nanni, *Scultori d'Oltralpe e presenze italiane: il Maestro di Rimini*, in «Annuario della Scuola di Specializzazione in Beni Storici Artistici dell'Università di Bologna», VII, 2008, pp. 12-25.

NATALE 1982
M. Natale, *Museo Poldi Pezzoli. Dipinti*, Milano, Electa, 1982.

NIEBAUM 2007
J. Niebaum, *Die spätantiken Rotunden an Alt-St.-Peter in Rom. Mit Anmerkungen zum Erweiterungsprojekt Nikolaus' V. für die Peterskirche und zur Aufstellung von Michelangelos römischer Pietà*, in «Marburger Jahrbuch für Kunstwissenschaft», XXXIV, 2007, pp. 101-161.

Oro 2011
Oro dai Visconti agli Sforza. Smalti e oreficeria nel Ducato di Milano, catalogo della mostra, a cura di P. Venturelli, Cinisello Balsamo, Silvana Editoriale, 2011.

PANOFSKY 1927
E. Panofsky, *Imago Pietatis: un contributo alla storia tipologica dell'"Uomo dei dolori" e della "Maria Mediatrix"* [1927], a cura di J. Cooke, in «Annali di Critica d'Arte», XI, 2015, pp. 9-74.

PAOLETTI 2000
J. T. Paoletti, *The Rondanini Pietà: Ambiguity Maintained Through the Palimpsest*, in «Artibus et Historiae», 42, 2000, pp. 53-80.

PARENTI 2008
D. Parenti, *Giovanni da Milano a Firenze*, in *Giovanni da Milano. Capolavori del Gotico fra Lombardia e Toscana*, catalogo della mostra, a cura di D. Parenti, Firenze, Giunti, 2008, pp. 57-71.

PARRONCHI 1974
A. Parronchi, *La probabile fonte quattrocentesca della prima Pietà* [1974], in *Opere giovanili di Michelangelo. III. Miscellanea Michelangiolesca*, Firenze, Leo S. Olschki Editore, 1981, pp. 71-77.

PASSARGE 1924
W. Passarge, *Das deutsche Vesperbild im Mittelalter*, Köln, F. J. Marcan – Verlag, 1924.

PATAT 1987
P. Patat, *Scultura*, in *Il Duomo. Santa Maria Assunta di Gemona*, Gemona, Comune di Gemona, 1987, pp. 195-236.

PERIN 2005a
A. Perin, *Note sull'allestimento*, in *Maestri della scultura in legno nel Ducato degli Sforza*, catalogo della mostra, a cura di G. Romano, C. Salsi, Cinisello Balsamo, Silvana Editoriale, 2005, pp. 248-249.

PERIN 2005b
A. Perin, *Elogio della disarmonia*, in «Nuova Museologia», 12, 2005, pp. 12-14.

Pinacoteca 2003
Pinacoteca Civica di Vicenza. Dipinti dal XIV al XVI secolo, a cura di M. E. Avagnina *et al.*, Cinisello Balsamo, Silvana Editoriale, 2003.

Pinacoteca 2004
Pinacoteca Nazionale di Bologna. Catalogo generale. 1. Dal Duecento a Francesco Francia, a cura di J. Bentini *et al.*, Venezia, Marsilio, 2004.

Pinacoteca 2009
Pinacoteca Ambrosiana. Tomo quinto, Milano, Electa, 2009.

PINDER 1920
W. Pinder, *Die dichterische Wurzel der Pietà*, in «Repertorium für Kunstwissenschaft», XLII, 1920, pp. 145-163.

PINDER 1922
W. Pinder, *Die Pietà*, Leipzig, Verlag von E. A. Seemann, 1922.

PLUMMER 1982
J. Plummer, *The Last Flowering. French Painting in Manuscripts 1420–1530 from American Collections*, catalogo della mostra, New York-London, Oxford University Press, 1982.

POLO 2006
L. Polo, *La Pietà o Madonna Addolorata del Capitello. Il caso artistico e il mistero dell'apparizione*, in *Anguillara Veneta e l'Arca del Santo di Padova. Storia di un'eredità carrarese dal 1405 all'età contemporanea*, atti del convegno, a cura di L. Polo, Anguillara Veneta, Comune di Anguillara Veneta, 2006, pp. 47-59.

PONZONI 1930
C. Ponzoni, *Le chiese di Milano. Opera storico-artistica ornata da circa 1000 illustrazioni*, Milano, Arti grafiche milanesi, 1930.

POPE-HENNESSY 1964
J. Pope-Hennessy, *Catalogue of Italian Sculpture in the Victoria and Albert Museum*, I-III, London, Her Majesty's Stationary Office, 1964.

POPHAM, POUNCEY 1950
A. Popham, P. Pouncey, *Italian Drawings in the Department of Prints and Drawings in the British Museum. The Fourteenth and Fifteenth Centuries*, I-II, London, Trustees of the British Museum, 1950.

PRINCIPI in corso di stampa

L. Principi, *Sulle tracce della Pietà di Dello Delli all'Annunziata*, in «Prospettiva», in corso di stampa.

RIGONI 1930

E. Rigoni, *Lo scultore Egidio da Wiener Neustadt a Padova* [1930], in *L'arte rinascimentale in Padova. Studi e documenti*, Padova, Editrice Antenore, 1970, pp. 57-73.

RILL 1968

G. Rill, s.v. *Bilhères de Lagraulas, Jean*, in *Dizionario Biografico degli Italiani*, X, Roma, Istituto dell'Enciclopedia Italiana, 1968, pp. 459-461.

Rinascimento 2008

Rinascimento e passione per l'antico. Andrea Riccio e il suo tempo, catalogo della mostra, a cura di A. Bacchi, L. Giacomelli, Trento, Provincia autonoma di Trento, 2008.

ROBINSON 1870

J. C. Robinson, *A Critical Account of the Drawings by Michel Angelo and Raffaello in the University Galleries, Oxford*, Oxford, Clarendon Press, 1870.

ROSSETTI 2017

E. Rossetti, *Gli antefatti: tracce per l'immagine di un isolato tra sforzeschi, francesi e disegni vinciani (XV e XVI secolo)*, in *Palazzo Litta a Milano*, a cura di E. Bianchi, Cinisello Balsamo, Silvana Editoriale, 2017, pp. 25-36.

ROTTA 1891

P. Rotta, *Passeggiate storiche ossia le chiese di Milano dalla loro origine fino al presente*, Milano, Tipografia del Riformatorio Patronato, 1891.

RUSCONI 2001

P. Rusconi, *Tempo di guerra. Artisti al fronte, sfollati, sotto le bombe*, Milano, Skira, 2001.

SANTI 1976

F. Santi, *Gonfaloni umbri del Rinascimento*, Perugia, Editrice Volumnia, 1976.

SANTORO 1958

C. Santoro, *I codici miniati della Biblioteca Trivulziana*, Milano, Comune di Milano, 1958.

SAUSER 1972

E. Sauser, s.v. *Schmerzen Mariens*, in *Lexikon der christlichen Ikonographie*, IV, Roma-Freiburg-Basel-Wien, Herder, 1972, pp. 86-87.

Schöne Madonnen 2009

Schöne Madonnen am Rhein, catalogo della mostra, a cura di R. Suckale, Leipzig, Seemann, 2009.

SCHREIBER 1926-1930

W. L. Schreiber, *Handbuch der Holz- und Metallschnitte des XV. Jahrhunderts*, I-VIII, Leipzig, Verlag Karl W. Hiersemann, 1926-1930.

SCHRÖDER 2004

J. Schröder, *Das Eckige muss ins Runde – das Horizontale Vesperbild als "Suche nach dem Kanon"*, in «Ars», XXXVII, 1-2, 2004, pp. 40-67.

SCHULZE ALTCAPPENBERG 1995

H.-Th. Schulze Altcappenberg, *Die italienischen Zeichnungen des 14. und 15. Jahrhunderts im Berliner Kupferstichkabinett. Kritischer Katalog*, catalogo della mostra, Berlin, G & H Verlag, 1995.

Scultura 1987

Scultura dipinta. Maestri di legname e pittori a Siena 1250-1450, catalogo della mostra, Firenze, Centro Di, 1987.

SEROUX D'AGINCOURT 1823

J. B. L. G. Seroux d'Agincourt, *Histoire de l'art par les monumens, depuis sa décadence au IV siècle jusqu'a son renouvellement au XVI*, I-VI, Paris, Treuttel et Wurtz, 1823.

SETTIS 1975

S. Settis, *Immagini della meditazione, dell'incertezza e del pentimento nell'arte antica*, in «Prospettiva», 2, 1975, pp. 4-18.

SETTIS 1979

S. Settis, *Iconografia dell'arte italiana. 1100-1500: una linea* [1979], Torino, Giulio Einaudi, 2005.

SETTIS 1999

S. Settis, *Laocoonte. Fama e stile*, Roma, Donzelli Editore, 1999.

SETTIS 2013

S. Settis, *Ars moriendi: Cristo e Meleagro*, in M. L. Catoni, C. Ginzburg, L. Giuliani, S. Settis, *Tre figure. Achille, Meleagro, Cristo*, a cura di M. L. Catoni, Milano, Feltrinelli, 2013, pp. 83-108.

SHEARMAN 1995

J. Shearman, *Arte e spettatore nel Rinascimento italiano. «Only connect…»*, Milano, Jaca Book, 1995 (ed. or. Princeton, Princeton University Press, 1992).

SKUBISZEWSKI 1995

P. Skubiszewski, s.v. *Figurazioni devozionali*, in *Enciclopedia dell'arte medievale*, VI, Roma, Istituto dell'Enciclopedia Italiana, 1995, pp. 177-195.

SUSONE [1327-1328]

E. Susone, *Il Libretto dell'Eterna Sapienza* [1327-1328], in *Opere spirituali*, a cura di Bernardino De Blasio, Alba, Edizioni Paoline, 1971, pp. 235-370.

SUSONE [1333-1334 circa]

E. Susone, *L'Orologio della Sapienza* [1333-1334 circa], in *Opere spirituali*, a cura di Bernardino De Blasio, Alba, Edizioni Paoline, 1971, pp. 715-980.

SWARZENSKI 1921

G. Swarzenski, *Deutsche Alabasterplastik des 15. Jahrhunderts*, in «Städel Jahrbuch», I, 1921, pp. 167-213.

SWARZENSKI 1924

G. Swarzenski, *Italienische Quellen der deutschen Pietà*, in *Festschrift Heinrich Wölfflin. Beiträge zur Kunst- und Geistesgeschichte zum 21. Juni 1924 überreicht von Freunden und Schülern*, München, Hugo Schmidt Verlag, 1924, pp. 127-134.

SWARZENSKI 1935

H. Swarzenski, *Quellen zum deutschen Andachtsbild*, in «Zeitschrift für Kunstgeschichte», IV, 1935, pp. 141-144.

SYSON 1999

L. Syson, *Ercole de' Roberti: the making of a court artist*, in *Ercole de' Roberti. The Renaissance in Ferrara*, catalogo della mostra, a cura di D. Allen, L. Syson, London, The Burlington Magazine Publications Ltd., 1999, pp. V-XIV.

TEMPESTINI 1977

A. Tempestini, *Osservazioni sui Vesperbilder in Friuli*, in «Ce fastu?», LIII, 1977, pp. 237-248.

The Bernard 2015

The Bernard and Mary Berenson Collection of European Paintings at I Tatti, a cura di C. B. Strehlke, M. Brüggen Israëls, Milano, Officina Libraria, 2015.

The Drawings 1997

The Drawings of Filippino Lippi and His Circle, catalogo della mostra, a cura di G. R. Goldner, C. C. Bambach, New York, The Metropolitan Museum of Art, 1997.

The Frick 1968

The Frick Collection. An Illustrated Catalogue. Volume II. Paintings. French, Italian and Spanish, a cura di B. F. Davidson, New York, The Frick Collection, 1968.

The Illustrated Bartsch 1980

The Illustrated Bartsch. 8. Early German Artists, a cura di J. C. Hutchison, New York, Abaris Books, 1980.

THIÉBAUT 2007

D. Thiébaut, *XIIIe–XVe siècle*, in *Catalogue des peintures italiennes du musée du Louvre. Catalogue sommaire*, a cura di É. Foucart-Walter *et al.*, Paris, Gallimard, 2007, pp. 13-60.

TOMASI 2003

M. Tomasi, *Miti antichi e riti nuziali: sull'iconografia e la funzione dei cofanetti degli Embriachi*, in «Iconographica», II, 2003, pp. 126-145.

TRIPPS 1998

J. Tripps, *Das handelnde Bildwerk in der Gothik. Forschungen zu den Bedeutungsschichten und der Funktion des Kirchengebäudes und seiner Ausstattung in der Hoch- und Spätgotik*, Berlin, Mann, 1998.

VASARI 1550 e 1568

G. Vasari, *Le Vite de' più eccellenti pittori, scultori e architetti, nelle redazioni del 1550 e 1568*, a cura di P. Barocchi, R. Bettarini, I-VI, Firenze, Sansoni e S.P.E.S., 1966-1987.

VENTURI 1931

A. Venturi, *La pittura del Quattrocento nell'Emilia*, Firenze, Edizioni Pantheon, 1931.

VERESS 2010

F. Veress, *Michelangelo e Savonarola: la "Pietà" di San Pietro*, in «Zeitschrift für Kunstgeschichte», LXXIII, 4, 2010, pp. 539-554.

VILLA, PETOLETTI 2007

C. Villa, M. Petoletti, *Teatro ambrosiano*, in *Nuove ricerche su codici in scrittura latina dell'Ambrosiana*, atti del convegno, a cura di M. Ferrari, M. Navoni, Milano, Vita e Pensiero, 2007, pp. 135-152.

VINCENTI 2000

A. Vincenti, *Una chiesa nella città. S. Maria al Castello a Milano*, in «Arte Cristiana», LXXXVIII, 2000, pp. 475-484.

VINCO 2010

M. Vinco, *Integrazioni all'attività veronese di Pietro di Niccolò Lamberti e Michele da Firenze*, in «Prospettiva», 138, 2010, pp. 16-27.

Vinco 2011

M. Vinco, *Il patrimonio artistico (XIV-XVI secolo)*, in *Il Santuario nella letteratura e L'arte nel Santuario*, atti del convegno, a cura di V. S. Gondola, Verona, Edizioni Stimmgraf, 2011, pp. 53-71.

Vitolo 2016

P. Vitolo, s.v. *Roberto di Oderisio*, in *Dizionario Biografico degli Italiani*, LXXXVIII, Roma, Istituto dell'Enciclopedia Italiana, 2016, pp. 804-806.

Vittoria 2005

Vittoria Colonna e Michelangelo, catalogo della mostra, a cura di P. Ragionieri, Firenze, Mandragora, 2005.

von Erffa 1976

H. M. von Erffa, *Der Nürnberger Stadtpatron auf italienischen Gemälde*, in «Mitteilungen des Kunsthistorischen Institutes in Florenz», XX, 1, 1976, pp. 1-12.

Warburg 1903

A. Warburg, *Rogier van der Weyden's* Entombment *in the Uffizi* [1903], in *The Renewal of Pagan Antiquity. Contributions to the Cultural History of the European Renaissance*, Los Angeles, Getty Research Institute for the History of Art, 1999, pp. 308-310, 483-484.

Weil-Garris Brandt 1987

K. Weil-Garris Brandt, *Michelangelo's* Pietà *for the Cappella del Re di Francia*, in 'Il se rendit en Italie'. *Études offertes à André Chastel*, Roma, Edizioni dell'Elefante-Flammarion, 1987, pp. 57-119.

Wettstreit 2002

Wettstreit der Künste. Malerei und Skulptur von Dürer bis Daumier, catalogo della mostra, a cura di E. Mai, K. Wettengl, Wolfratshausen, Edition Minerva, 2002.

Wilde 1953

J. Wilde, *Michelangelo and Leonardo*, in «The Burlington Magazine», XCV, 1953, pp. 65-77.

Williamson 1988

P. Williamson, *Northern Gothic Sculpture* 1200-1450, London, Victoria and Albert Museum, 1988.

Williamson, Davies 2014

P. Williamson, G. Davies, *Medieval Ivory Carvings. 1200-1550*, I-II, London, V&A Publishing, 2014.

Wolters 1976

W. Wolters, *La scultura veneziana gotica* 1300-1460, I-II, Venezia, Alfieri, 1976.

Woods 2013

K. W. Woods, *The Master of Rimini and the tradition of alabaster carving in the early fifteenth-century Netherlands*, in «Nederlands kunsthistorisch jaarboek», LXII, 2012, pp. 56-83.

Zanolli Gemi 1991

N. Zanolli Gemi, *Sant'Eufemia. Storia di una chiesa e del suo convento a Verona*, Verona, Progei editori, 1991.

Zenale 1982

Zenale e Leonardo. Tradizione e rinnovamento della pittura lombarda, catalogo della mostra, Milano, Electa, 1982.

Zeri 1953

F. Zeri, *Il maestro della Madonna di Manchester* [1953], in *Giorno per giorno nella pittura. Scritti sull'arte italiana del Cinquecento*, Torino, Umberto Allemandi & C., 1994, pp. 59-65.

Ziegler 1992

J. E. Ziegler, *Sculpture of compassion. The Pietà and the Beguines in the Southern Low Countries c. 1300 – c. 1600*, Bruxelles, Brepols, 1992.

Crediti fotografici

La rappresentazione della Pietà, la raffigurazione dell'immagine del corpo di Cristo sul grembo di Maria dopo la deposizione: il Castello Sforzesco dedica una mostra che esplora il tracciato di questo tema iconografico nello scorrere di due secoli, a partire dal Trecento, e nella sua diffusione dalle regioni della valle del Reno fino al nostro paese.

Tale raffigurazione devozionale è la protagonista di questo tragitto che, grazie alla presenza di opere provenienti da importanti istituzioni nazionali e internazionali, vuole testimoniare la diffusione e la grande diversificazione nell'interpretazione fatta da grandi artisti italiani – Cosmè Tura, Francesco Del Cossa, Ercole De' Roberti, Giovanni Bellini, Perugino, Vittore Carpaccio – e non solo, per arrivare alla testimonianza della realizzazione della Pietà *vaticana di Michelangelo, di cui sarà possibile ammirare il calco in mostra.*

Un viaggio nel tempo dell'arte per scoprire l'evoluzione di un tema iconico, la cui sintesi più celebre è rappresentata dall'opera di Michelangelo, che trova successivamente con la Pietà Rondanini *un esito estremo di un articolato percorso interpretativo.*

Filippo Del Corno
*Assessore alla Cultura
Comune di Milano*